August St

Tjänstekvinnans son

Del I

En själs utvecklingshistoria
(1849–1867)

EN
BOK
FÖR
ALLA

Litteraturfrämjandet

Aktuella böcker i serien EN BOK FÖR ALLA

I denna utgåva har vissa språkliga ändringar vidtagits i syfte att göra boken tillgängligare för nutida läsare. De riktlinjer som härvid tillämpats redovisas sist i boken.

En bok för alla från Litteraturfrämjandet
© Stiftelsen Litteraturfrämjandet 1985
Omslag: Foto 1886, tillhör Strindbergmuseet Blå Tornet
Grafisk form AB Typoform Stockholm
Tryckt hos Elanders Tryckeri AB, Kungsbacka 1985
ISBN 91-7448-307-2

Innehåll

Författarens förord till Tjänstekvinnans son, 2:a upplagan, 1909.

Detta är historien om ett 60-årigt människoöde. De första delarna* äro författade vid omkring 40 års ålder, och, som jag då trodde, inför döden, ty jag var trött, såg icke något ändamål mer med tillvaron, ansåg mig överflödig, bortkastad. Jag levde nämligen då på den tröstlösa världsåskådning, som en halvt gudlös människa äger, men ville dock göra upp bokslutet och överskåda ställningen, kanske fria mig från en del oriktiga beskyllningar. Under arbetets gång upptäcker jag dock en viss plan och en avsikt med mitt brokiga liv, och jag återfick lusten att leva, driven mest av nyfikenhet att se hur det skulle gå och vilket slut ett sådant liv skulle taga.

Jag levde i främmande land, glömd och glömmande, helt upptagen av naturvetenskaperna efter att ha lämnat författeriet, då med året 1896 jag råkar in i ett skede, som jag kallat Inferno, under vilken titel den bok utkom 1897, som blev en vändpunkt i mitt liv. Legender 1898 fortsätter skildringarna av den ödeläggelse min person undergick och efter vilken procedur framsprang den våldsamma produktion, som sedan vidtog, och utgöt sig i dramer, dikter, romaner nästan utan tal.

Det är många författartyper vi här råka, men var och en är ett adekvat uttryck av sitt tidsskede, med dess rörelser, motrörelser, villfarelser. Att nu sitta och stryka ut eller ändra vad jag ogillar och avskyr, vore ju att förfalska texten, därför utgives urkunderna i nästan det skick de tillkommit. Jag har nog frågat mig, om det är rätt att släppa ut dessa brandpilar igen, men efter moget övervägande har jag funnit handlingen åtminstone indifferent. En människa med rediga begrepp i moralen och med klar föreställning om de högsta tingen låter

---

* Tjänstekvinnans son, Jäsningstiden, I röda rummet, Författaren.

icke narra sig av sofismer, och den i upplösning stadde finner knappt något stöd i dessa deduktioner som redan äro vederlagda.

Om författaren verkligen, som han stundom trott, experimenterat med ståndpunkter eller inkarnerat i olika personligheter, polymeriserat sig, eller om en nådig försyn experimenterat med författaren, må framgå ur texterna för den upplyste läsaren. Ty böckerna äro ganska uppriktigt nedskrivna, icke fullständigt naturligtvis, ty det är omöjligt. Här avläggas bekännelser som ingen fordrat, och skuld påtages, där kanske den icke var så farlig, då författaren till och med straffar sina tysta tankar. Tämligen sannfärdiga äro också relationerna, men kunna icke vara riktigt exakta. När jag till exempel vid 60 år läser igenom det som skrevs vid 40, förefaller en del såsom obekant, icke passerat. Jag har således glömt vissa detaljer från barndomen under de sista 20 åren, men är nästan säker jag mindes dem vid 40. Och en historia kan berättas på många sätt, belysas från olika sidor, färgas och avfärgas. Har läsaren således här funnit en historia berättad på annat sätt än i någon av mina andra skrifter, där den är repeterad, så må han erinra vad jag nu pekat på.

Detta är analysen av mitt långa växlingsrika liv, ingredienserna till mitt författeri, råmaterialet. Den som vill se resultatet, han tage och läse Blå Boken, som är mitt livs syntes!

August Strindberg

1. Rädd och hungrig

Fyrtiotalet hade gått ut. Tredje ståndet, som genom 1792 års revolution tillkämpat sig en del av människans rättigheter, hade nu blivit påmint om att det fanns ett fjärde och ett femte, som ville fram. Svenska bourgeoisien, som hjälpt Gustav III att göra den kungliga revolten, hade längesedan recipierat i överklassen under förre jakobinen Bernadottes stormästarskap och hjälpt till att motväga adels- och ämbetsmannaståndet, vilka Carl Johan med sina underklassinstinkter hatade och vördade. Efter 48 års konvulsioner togs rörelsen om händer av den upplyste despoten Oscar I, som insett evolutionens omotståndlighet och därför ville passa på tillfället att få äran av reformernas genomförande. Han binder vid sig borgerskapet genom näringsfrihet och frihandel, med vissa inskränkningar naturligtvis, upptäcker kvinnans makt och beviljar systrar lika arvsrätt med bröder, utan att samtidigt lätta brödernas bördor såsom blivande familjeförsörjare; I borgarståndet finner hans regering sitt stöd gentemot adeln med Hartmansdorff och emot prästerskapet, som utgör oppositionen.

Ännu vilar samhället på klasser, tämligen naturliga grupper efter yrken och sysselsättningar, vilka hålles i schack mot varandra. Detta system upprätthåller en viss skenbar demokratiskhet, åtminstone i de högre klasserna. Man har ännu icke upptäckt de gemensamma intressen, som sammanhåller de övre ringarna, och ännu finnes ej den nya slagordningen, fylkad efter över- och underklass.

Därför finnes ännu inga särskilda kvarter i staden, där överklassen bebor hela huset, avsöndrat genom höga hyror, fina uppgångar och stränga portvakter. Därför är huset vid Klara kyrkogård, oaktat dess fördelaktiga läge och höga taxering, ännu de första åren av femtiotalet en ganska demokratisk familistär. Byggnaden bildar en fyrkant omkring en gård. Längan åt gatan bebos på nedra botten av baronen, en trappa upp av generalen, två trappor upp av justitierådet, som är husvärd, tre trappor upp av kryddkrämaren, och fyra trappor upp av salig Carl Johans pensionerade köksmästare. I vänstra gårdsflygeln bor snickaren, vicevärden, som är en fattiglapp; i den andra flygeln bor läderhandlaren och ett par änkor; i den tredje flygeln bor kopplerskan med sina flickor.

Tre trappor upp i stora byggningen vaknade kryddkrämarens och tjänstekvinnans son till självmedvetande och medvetande om livet och dess plikter. Hans första förnimmelser såsom han sedan erinrat sig dem, var fruktan och hunger. Han var mörkrädd, strykrädd, rädd för att göra alla till olags, rädd att falla, stöta sig, gå i vägen. Han var rädd för brödernas nävar, pigornas luggar, mormors snubbor, mors ris och fars rotting. Han var rädd för generalens kalfaktor, som stod nere i farstun med pickelhuva och faskinkniv, rädd för vicevärden, när han lekte vid soplåren på gården, rädd för justitierådet, som var värd. Över honom maktägande med privilegier, från brödernas åldersprivilegier upp till faderns högsta domstol, över vilken dock stod vicevärden som luggades och alltid hotade med vär-

8

den, som mest var osynlig, emedan han bodde på landet och kanske därför var den mest fruktade. Men över dem alla, till och med över kalfaktorn med pickelhuvan, stod generalen, mest dock när han gick ut i uniform, med trekantig hatt och plymascher. Barnet visste ej hur en kung såg ut, men han visste att generalen gick opp till kungen. Pigorna brukade också tala om sagor om kungen och visade kungens markatta. Modern brukade även förestava aftonbönen till Gud, men något redigt begrepp om Gud kunde han ej få, men han måste nödvändigt stå högre än kungen.

Denna fruktan var troligen ej något egendomligt för barnet, såvida icke de stormar, som övergått föräldrarna under det han bars i moderlivet, haft något särskilt inflytande på honom. Och det hade stormat betydligt. Tre barn var födda före äktenskapet, och Johan föddes först i början av vigseltiden. Han var troligen icke något önskebarn, allra minst som konkurs föregått hans födelse, så att han kom till världen i ett skövlat, förr välmående bo, där nu endast fanns säng, bord och ett par stolar. Farbrodern var död i samma tid och han hade slutat som faderns fiende, därför att fadern ej ville bryta sin fria förbindelse. Fadern älskade denna kvinna och han bröt icke bandet, utan knöt det för livet.

Fadern var en sluten natur och kanske därför en kraftig vilja. Han var aristokrat av börd och av uppfostran. Det fanns en gammal släkttavla, som visade adlig ätt från 1600-talet. Sedan hade fäderna varit präster, hela fädernet från Jämtland, med nordmanna- och kanske finnblod. På vägen var det uppblandat. Faderns mor var av tysk börd från snickarfamilj. Faderns far var kryddkrämare i Stockholm, chef för borgerskapets infanteri och hög frimurare samt Carl Johans-dyrkare. (Om det var fransmannen, marskalken eller Napoleons vän som dyrkades, är ännu icke utrett.) Johans mor var fattig skräddardotter, av en styvfar utsatt i livet såsom piga, sedan som värdshusflicka, i vilken ställning hon upptäcktes av Johans far. Hon var demokrat av instinkt, men såg upp till sin man, därför att han var av "god familj", och hon älskade honom, om såsom räddare, make eller familjeförsörjare, det vet man icke, och sådant är svårt att konstruera ut.

Fadern kallade drängen och dalkullan du, samt titulerades av pigorna patron. Han hade icke övergått till de missnöjda oaktat sina nederlag, utan förskansade sig genom religiös resignation: det var så Guds vilja; och genom att isolera sig i sitt hem. Dessutom behöll han alltid ett hopp att kunna höja sig.

Men han var aristokrat i botten, ända in i sina vanor. Hans ansikte hade tagit en förnoblad typ; orakat, finhyllt, med håret som Louis-Philippe. Därtill bar han glasögon, klädde sig alltid fint och älskade rent linne. Drängen, som borstade hans stövlar, var ålagd att bära vantar under proceduren, ty hans händer ansågs vara för smutsiga att få stickas in i patrons stövlar.

Modern fortfor att vara demokrat i sitt innersta. Hon var alltid enkelt men rent klädd. Barnen skulle alltid vara hela och rena, men icke mer. Hon var förtrolig med tjänarna och straffade genast det barn, som varit ohövligt mot någon av dem, genast, utan dom och rannsakning, på blotta angivelsen. Hon var alltid barmhärtig mot fattiga och hur svårt det än var i huset, fick aldrig en tiggare gå utan en bit mat. Alla gamla ammor, fyra stycken, kom ofta på visit och mottogs då som gamla vänner.

Stormen hade farit fram väldeliga över familjen, och skrämda som hönsfåglar hade släktens spridda medlemmar krupit tillsamman, vänner och fiender om varandra, ty de kände att de behövde varann, att de kunde skydda varann.

Faster hyrde två rum av våningen. Hon var änka efter en berömd engelsk uppfinnare och fabriksägare, som slutat med ruin. Hon hade pension, på vilken hon levde med två döttrar med fin uppfostran. Hon var aristokrat. Hade haft ett lysande hem, hade umgåtts med notabiliteter. Hon hade älskat sin bror, icke gillat hans äktenskap, men tagit hans barn till sig under det stormen gick över.

Hon var klädd i spetsmössa, och kysstes på hand. Lärde brorsbarnen att sitta rätt på stolen, hälsa vackert och uttrycka sig vårdat. Hennes rum bar spår av förgången lyx och talrika och förmögna vänner. En stoppad jakarandamöbel med virkade överdrag i engelska mönster. Den avlidne mannens byst, klädd i Vetenskapsakademiens frack och med Vasaorden. På väggen ett stort oljeporträtt av fadern i borgerskapets majorsuniform. Detta trodde alltid barnen att det var en kung, ty han hade så mycket ordnar, vilka senare befanns vara Frimurarordens insignier.

Faster drack te och läste engelska böcker.

Ett annat rum beboddes av morbror, diversehandlare vid Hötorget, jämte en kusin, son av den avlidne farbrodern, elev vid Teknologiska institutet.

I barnkammaren höll sig mormor. En skarp gumma, som lappade byxor, lappade blusar, läste abcd, vaggade och luggades. Hon var religiös och kom klockan åtta om morgnarna, sedan hon först varit i morgonbön i Klara kyrka. Om vintern hade hon sin lykta med sig, ty gaslyktor fanns ej och de argandska var släckta.

Hon höll sig på sin plats, älskade troligen ej svärsonen och dennes syster. De var för fina för henne. Fadern behandlade henne med aktning, men ej med kärlek.

I tre rum bodde fadern med sju barn och hustru samt två tjänare. Möblemanget bestod mest av vaggor och sängar. Barn låg på strykbräden och stolar. Barn i vaggor och i sängar. Fadern hade intet rum för sig, men han var alltid hemma. Mottog aldrig en bjudning av sina många affärsvänner, därför att han ej kunde bjuda igen. Gick aldrig på källare och aldrig på teatern. Han hade ett sår, som han ville dölja och läka. Hans nöje var ett piano. Ena systerdottern kom in varannan kväll och då spelades à quatre mains Haydns symfonier. Aldrig annat. Men längre fram Mozarts också. Aldrig något modernt. Han hade ett annat nöje också senare, när villkoren tillät. Han odlade blommor i fönstren. Men endast pelargonier. Varför pelargonier? Johan tyckte sig sedan, när han blev äldre och modern död, alltid se sin mor jämte en pelargonia eller båda tillsammans. Modern var blek, hon genomgick tolv barnsängar, och blev lungsiktig. Hennes ansikte liknade väl pelargonians genomskinligt vita blad med dess blodstrimmor, som mörknade in i botten, där det bildades en nästan svart pupill, svart som moderns.

Fadern syntes endast vid måltiderna. Trist, trött, sträng, allvarlig, men icke hård. Han föreföll strängare, emedan han vid hemkomsten alltid skulle på fri hand avgöra en mängd ordningsmål, som han ej kunde döma i. Och därjämte begagnades hans namn alltid att skrämma barnen med. "Pappa skulle få veta det" var lika med stryk. Det var just ingen tacksam roll han fått. Mot modern var han alltid blid. Han kysste henne alltid efter måltiden och tackade henne för mat. Därigenom vandes barnen orättvist att betrakta henne som alla goda gåvors givare och fadern såsom allt onts.

Man fruktade fadern. När ropet: pappa kommer! hördes, sprang alla barnen och gömde sig, eller ut i barnkammaren för att kamma och tvätta sig. Vid bordet rådde dödstystnad bland barnen och fadern talade endast föga.

Modern hade ett nervöst temperament. Flammade upp, men blev snart lugn. Hon var jämförelsevis nöjd med sitt liv, ty hon hade stigit på den sociala skalan och förbättrat sin, sin mors och sin brors ställning. Hon drack kaffe på sängen om morgnarna; hade till hjälp ammor, två tjänare och mormor. Troligen överansträngde hon sig ej.

Men för barnen var hon alltid försynen. Hon klippte nagelrötter, band om skadade fingrar, tröstade, lugnade och hugsvalade alltid, när fadern straffat, oaktat hon var allmän åklagare. Barnet tyckte att hon var tarvlig, när hon "skvallrade" för pappa, och någon aktning vann hon just ej. Hon kunde vara orättvis, häftig, straffa i otid, på lös angivelse av en tjänare, men barnet fick maten av hennes hand, trösten av henne, och därför blev hon barnet kär, medan fadern alltid förblev en främmande, snarare en fiende än en vän.

Detta är faderns otacksamma ställning i familjen. Allas försörjare, allas fiende. Kom han hem trött, hungrig, dyster och fann golvet nyskurat, maten illa lagad, och vågade en anmärkning, fick han ett litet kort svar. Han var som på nåd i sitt eget hus, och barnen gömde sig för honom.

Fadern var mindre nöjd med sitt liv, ty han hade stigit ner, försämrat sin ställning, försakat. Och när han såg dem han skänkt liv och mat vara missnöjda, blev han ej glad.

Men familjen själv är icke någon fullkomlig institution. Uppfostran hann ingen med, och den tog skolan hand om, där pigorna slutat. Familjen var egentligen ett matinstitut och en tvättnings- och strykningsanstalt, men en oekonomisk sådan. Aldrig annat än matlagning, torgköp, kryddbospring, mjölkmagasinsärenden. Tvättning, strykning, stärkning och skurning. Så många krafter i gång för så få personer. Källarmästarn, som gav mat åt ett par hundra, använde knappt mera.

Uppfostran blev snäsor och luggar, "Gud som haver" och vara lydig. Livet tog emot barnet med plikter, bara plikter, inga rättigheter. Allas önskningar skulle fram och barnets undertryckas. Det kunde icke ta i en sak utan att göra något orätt, icke gå någonstans utan att vara i vägen, icke säga ett ord utan att störa. Det vågade till sist icke röra sig. Dess högsta plikt och dess högsta dygd var: att sitta stilla på en stol och vara tyst.

— Du har ingen vilja! Så lät det alltid. Och därmed lades grunden till en viljelös karaktär.

Vad ska mänskorna säga? hette det senare. Och därmed var hans själv söndergnagt, så att han aldrig kunde vara sig själv, alltid var beroende av andras svajande opinion, och aldrig trodde sig själv om något, utom i de få ögonblick han kände sin energiska själ arbeta oberoende av hans vilja.

Gossen var ytterst känslig. Grät så ofta, att han erhöll ett särskilt öknamn därför. Ömtålig för en liten anmärkning, i ständig oro att begå ett fel. Men vaksam på orättvisor, och genom att ställa höga fordringar på sig själv noga vaktande över brödernas fel. Om dessa blev ostraffade kände han sig djupt kränkt; om de belönades i otid led hans rättskänsla. Därför ansågs han avundsjuk. Han gick då till modern att beklaga sig. Fick någon gång rättvisa, men eljes en förmaning att inte vara så noga. Men man var ju så noga mot honom, och han ålades vara så noga mot sig själv. Han drog sig tillbaka och blev bitter. Sedan blev han blyg och tillbakadragen. Gömde sig bakerst, när något gott utdelades, och njöt av att vara förbisedd. Han började anlägga kritik och fick smak för självplågeri. Han var melankolisk och yster, omväxlande. Hans äldsta bror var hysterisk. Kunde, när han förargades under lek, falla ner i kvävningar med konvulsiviska skratt. Denne broder var moderns och den andra brodern var faderns favorit. Favoriter finns i alla familjer. Det är så en gång att det ena barnet vinner mera sympati än det andra; varför kan aldrig utrönas. Johan var ingens favorit. Det kände han och det grämde honom. Men mormodern såg det, och hon tog sig an honom. Han läste abcd för henne och hjälpte henne vagga. Men han var icke nöjd med denna kärlek. Han ville vinna modern. Och han blev inställsam, bar sig klumpigt åt, men genomskådades och kastades tillbaka.

Det fördes sträng manstukt i huset. Lögn förföljdes skonlöst och olydnad också.

Små barn ljuger ofta av bristande minne.

— Har du gjort det? frågas dem. Det var nu gjort för två timmar sen och barnet minns ej så långt. Som handlingen ansågs likgiltig av barnen lade de icke märke till den. Därför kan små barn ljuga utan att veta det, och det måste man akta på.

De kan även snart ljuga i nödvärn. De vet att nej friar och ja fäller till stryk.

De kan även ljuga för att vinna en fördel. Det är bland det vaknande förståndets första upptäckter, att ett väl anbragt ja eller nej kan förskaffa en fördel.

Det fulaste är när de skyller på andra. De vet att felet ska straffas, sak samma på vem. Gäller att anskaffa syndabocken. Detta är uppfostrarens fel. Detta straff är ren hämnd. Felet skall ej straffas, ty det är att begå ett fel till. Upphovsmannen skall korrigeras eller för sin egen skull läras att ej begå felet.

Denna visshet att felet ska straffas framkallar fruktan hos barnet att bli ansedd som den felande, och Johan svävade i ständig fruktan att något fel skulle upptäckas.

En middag synar fadern vinbuteljen, som faster begagnade.

— Vem har druckit ur vinet? frågar han och ser sig runt kring bordet.

Ingen svarar. Men Johan rodnar.

— Jaså, det är du, säger fadern.

Johan, som aldrig observerat vinbuteljens gömställe, faller i gråt och snyftar:

— Det är inte jag, som druckit ur vinet.

— Jaså, du nekar också!

Också!

— Du ska få sen, när vi stigit opp från bordet.

Tanken på vad som skulle fås sedan man stigit opp från bordet jämte faderns fortsatta betraktelser över

Johans inbundna väsen framkallar fortfarande hans tårar.

Man stiger opp från bordet.

— Kom in du, säger fadern och går in i sängkammaren.

Modern följer.

— Bed pappa om förlåtelse, säger hon.

— Jag har inte gjort det, skriker han nu.

— Bed pappa om förlåtelse, säger modern och luggar honom. Fadern har tagit fram riset bakifrån spegeln.

— Söta pappa förlåt mig! vrålar den oskyldige.

Men nu är det för sent. Bekännelsen är avgiven. Modern biträder vid exekutionen.

Barnet tjuter, av harm, av ilska, av smärta, men mest av vanära, av förödmjukelse.

— Bed pappa nu om förlåtelse, säger modern.

Barnet ser på henne, och föraktar henne. Han känner sig ensam, övergiven av den, till vilken han alltid flydde för att få mildhet och tröst, men så sällan rättvisa.

— Söta pappa förlåt, säger han med hårdbitna, ljugande läppar.

Och så smyger han ut i köket till Lovisa, barnpigan, som brukade kamma och tvätta honom, och i hennes förkläde gråter han ut.

— Vad har Johan gjort? frågar hon deltagande.

— Ingenting! svarar han. Jag har inte gjort det.

Mamma kommer ut.

— Vad säger Johan? frågar hon Lovisa.

— Han säger att han inte gjort det.

— Nekar han ändå!

Och nu införes Johan igen att torteras till bekännelse av det han aldrig begått.

Och nu bekänner han det han aldrig begått.

Härliga, sedliga institution, heliga familj, oantastliga, gudomliga instiftelse, som skall uppfostra medborgare till sanning och dygd! Du dygdernas påstådda hem, där oskyldiga barn torteras till sin första lögn, där viljekraften smulas sönder av despoti, där självkänslan dödas av trångbodda egoismer. Familj, du är alla sociala lasters hem, alla bekväma kvinnors försörjningsanstalt, familjeförsörjarens ankarsmedja, och barnens helvete!

Efter den dagen levde Johan i evig oro. Icke modern, icke Lovisa, ännu mindre bröderna och minst fadern vågar han hylla sig till. Fiender överallt. Gud kände han icke än, annat än genom "Gud som haver". Han var ateist som barnet är, men i mörkret anade han såsom vilden och djuret onda andar.

Vem drack ur vinet? frågade han sig. Vem var den skyldige, som han led för? Nya intryck, nya sorger kom honom snart att glömma frågan, men den upprörande handlingen stod kvar i hans minne.

Han hade förlorat föräldrarnas förtroende, syskonens aktning, fasterns gunst; mormor var tyst. Kanske hon slöt av andra grunder till hans oskuld, ty hon bannade honom icke, men hon teg. Hon hade ingenting att säga.

Han var som en straffad person. Straffad för lögn, som var så avskydd i huset, och för stöld, vars namn aldrig behövde nämnas ens. Förlorat medborgerligt förtroende, misstänkt, och av syskonen hånad för att han blivit ertappad. Allt detta med dess följder, som för honom hade full verklighet, var ändå grundat på något som ej existerat: hans fel.

*

Det var icke direkt fattigdom i huset, men det var överbefolkning. Barndop, begravning, barndop, begravning. Ibland två dop utan begravning emellan.

Maten rationerades ut och var inte just kraftig: kött syntes endast om söndagarna. Men han växte ut duktigt och var före sin ålder.

Han släpptes nu ner att leka på gården. Det var en stenlagd brunn som vanligt, dit solen aldrig nådde ner. Skuggorna stannade över första våningen, längre nådde de ej. En stor soplår, liknande en gammal dragkista med klaff, tjärad men sprucken, stod utmed en vägg, på fyra fötter. Här slogs diskämbar och sopor, och ur remnorna rann en svart sås utåt gården. Stora råttor höll till under låren och tittade då och då fram för att fly ner i källaren. Vedbodar och avträden begränsade ena gårdssidan. Där var dålig luft, fukt och intet ljus. Hans första försök att gräva upp sanden mellan de stora fältstenarna avklipptes av den ondsinta vicevärden. Denne hade en gosse. Johan lekte med honom, men kände sig aldrig säker med honom. Gossen var underlägsen i fysisk styrka och förstånd, men han visste alltid vid tvistiga frågor appellera till sin pappa vicevärden. Det var hans överlägsenhet att ha en myndighet vid sin sida.

Baronen på nedra botten hade en trappa med ledstänger av järn. Den var rolig att leka på, men alla försök att klänga på järnstängerna hindrades av en utrusande betjänt.

Stränga order mot att gå ut på gatan var utfärdade. Men tittade han ut genom portgången och såg uppåt kyrkogårdsporten, hörde han barn leka däruppe. Han längtade icke att vara med, ty han var rädd för barnen. Neråt gränden såg han Klara sjö och klappbryggorna. Där såg nytt och hemlighetsfullt ut, men han var rädd för sjön. Han hade om de tysta vinterkvällarna hört nödrop av drunknande, som gått ner sig vid Kungsholmslandet. Detta inträffade rätt ofta. Man satt kring lampan i barnkammaren. — Tyst! sade någon av pigorna. Alla lyssnade. Långa, ihållande rop hördes. — Det är någon som drunknar, sade en. Man lyssnade, tills det blev tyst. Och så följde en rad historier om drunknade.

Barnkammaren låg åt gården och från dess fönster såg man ett plåttak och några vindskontor. Därinne stod gamla avlagda möbler och annat husgeråd. Dessa möbler utan mänskor verkade hemska. Pigorna sade att det spökade. — Vad var det? Spökade. Ja det kunde de inte säga, men det var närmast döda mänskor som gick igen. Så uppfostrades han av pigorna, och så uppfostras vi alla av underklassen. Det är dennas ofrivilliga hämnd, att den ger våra barn vår avlagda vidskepelse. Det kanske är detta som hindrar utvecklingen i så hög grad, om ock det utjämnar klasskillnaden något. Varför lämnar modern detta det viktigaste bestyret ifrån sig, hon som får brödet av fadern för att hon skall uppfostra sina barn? Johans mor läste endast stundom aftonbönerna med honom, men oftast var det barnpigan. Denna hade sålunda lärt honom en gammal katolsk bön som lydde: "Det gick en ängel kring vårt hus, han hade två förgyllda ljus" etc.

Om det är mänskans dröm att komma ifrån arbete, så synes kvinnan genom äktenskapet ha realiserat den drömmen. Därför står familjen såsom social institution

20

mycket nära hjorden: hanen, honan och ungarna, och icke ett steg över horden, då slavarna (=tjänarna) tillkommit. Därför uppfostras man för familjen (=matinrättningen) och icke för samhället, om man ens uppfostras alls.

*

De andra rummen låg åt Klara kyrkogård. Över lindarna höjde sig kyrkans skepp som ett berg och på berget satt jätten med kopparhatten, som förde ett aldrig vilande buller för att ange tidens lopp. Den slog kvarter i diskant och timmar i bas. Den ringde morgonbön klockan fyra i en liten pingla, den ringde morgonbön klockan åtta, den ringde afton klockan sju. Den klämtade tio på förmiddagen och fyra på eftermiddagen. Den tutade alla timmar från tio till fyra om natten. Den ringde mitt i veckan vid begravningar och det var ofta den ringde nu under koleratiden. Och om söndagarna, o, då ringde den så, att hela familjen såg gråtfärdig ut och ingen hörde vad den andra sade. Tutningarna om natten, när han låg vaken, var mycket hemska. Men värst var eldklämtningen. Första gången han hörde denna djupa, dova klang om natten föll han i frosskakningar och grät. Huset vaknade alltid. — Elden är lös! hördes någon viska. Var är det? Man räknade slagen och så somnade man igen, men han somnade icke. Han grät. Då kunde mor komma upp, stoppa om honom och säga: Var inte rädd, Gud bevarar nog de olyckliga! Det där hade han inte tänkt om Gud förr. — Om morgonen läste pigorna i bladet, att det brunnit på Söder och två mänskor brunnit inne. — Det var så Guds vilja, sade mor.

Hela hans första vaknande till liv ingick med klockklang, klämtning och tutning. Alla hans första tankar och förnimmelser var ackompanjerade av begravningsringningar, och hans första levnadsår utminuterades med kvartslag. Det gjorde honom åtminstone icke glad, om det också icke gav någon avgjord färg åt hans kommande nervliv. Men vem vet! De första åren är lika viktiga som de nio månaderna före.

*

Vid fem år kom han i småbarnsskolan. Han kunde sina läxor och läste rent innantill. Kamraternas samliv tog bort enformigheten i hemmet, och umgänget med samåriga från andra samhällsklasser vidgade hans tankar, tog bort den monotona kritiken på syskon och föräldrar och gav uppfostran. Långt efter, när han tänkte på denna tid, stod endast två minnen kvar av någon betydelse. Det ena, som sedan väckte hans förvåning: att en sjuårs gosse uppgavs stå i könsförhållande till en jämnårig flicka. Hans könsliv hade ännu icke vaknat, så att han ej visste varom fråga egentligen var; ordet som betecknade handlingen mindes han. Fenomenet lär emellertid ej vara enastående efter vad läkare relaterat i böckerna, och hans egna senare iakttagelser på bondens barn visade att uppgiften åtminstone var trolig.

Det andra var detta: en gosse hade på griffeltavlan ritat en gubbe och därunder skrivit Gud, varför han straffades. Denna gosse, som redan kunde böner och läst katekes, hade sålunda icke förvärvat några högre begrepp om det högsta väsendet än det, som uttrycktes genom den figur, föreställande Gud Fader, som var tryckt före Tio Guds bud i katekesen. Det rätta gudsbegreppet synes sålunda icke vara medfött, och när det

22

sålunda ska förvärvas genom uppfostran borde icke regeringens lärobok inge så låga föreställningar som den om en gammal man, som behövde vila sig efter sex dagars arbete.

*

Barndomsminnena utvisar alla hurusom dels sinnena först vaknar och absorberar de livligaste intrycken, känslorna röres vid minsta fläkt, huru senare iakttagelserna huvudsakligen riktar sig på bjärta företeelser, sist på moraliska förhållanden, känsla av rätt och orätt, våld och barmhärighet.

Minnena ligger oordnade, vanskapligt tecknade såsom bilderna i taumatropen, men snurrar man på hjulet, så smälter de ihop och bildar en tavla, betydelselös eller betydelsefull, det beror på.

Han ser en dag stora granna bilder av kejsare och kungar i blåa och röda uniformer, som pigorna satt upp i barnkammaren. Han ser en annan som föreställer en byggning, som springer i luften och är full med turkar. Han hör någon läsa högt ur ett blad om huru man sköt med brinnande kulor på städer och byar borta i ett fjärran land och minns till och med detaljer, såsom att modern gråter när det läses om fattiga fiskare, som med barn måste ut ur sina brinnande kojor. Detta skall föreställa: kejsar Nikolaus och Napoleon den tredje, Sevastopols stormning och bombardemanget av Finska kusten.

Far är hemma en hel dag. Man ställer alla husets dricksglas på fönsterbrädena. Fyller glasen med skrivsand och sätter stearinljus uti. På kvällen tändes alla ljusen. Det är så varmt i rummen och så ljust. Och ljus i Klara skolhus och i kyrkan och i prästgården och det kommer musik ur kyrkan.

Vad var det? Det var illuminationen vid kung Oscars tillfrisknande.

Stort buller i köket. Det har ringt på farstuklockan och mor har blivit utkallad.

Där står en man i uniform med en bok i handen och skriver. Köksan gråter, modern ber och talar högt, men mannen i kasken talar ändå högre.

Det är polisen.

Polisen, ljuder det i hela våningen. Polisen. Och det talas om polisen hela dan. Fadern är kallad till polisen. Ska han i arrest? Nej, han ska betala 3 riksdaler och 16 skilling banko, för att köksan på dagen slagit ut ett diskämbar i rännstenen.

Han ser en eftermiddag huru man tänder lyktorna here på gatan. En av kusinerna fäster uppmärksamheten på att där icke finns olja och veke; det är bara en metallpinne. Det är första gaslyktorna som tändes.

Han ligger till sängs i många nätter utan att stiga upp om dagarna. Han är trött och sömnig. Det kommer en sträv herre till sängen och säger att han icke får ha händerna ovanpå täcket. Han får ta in elaka saker ur en sked; äter intet. Man viskar i rummet och mor gråter. Så sitter han uppe igen vid fönstret i sängkammaren. Det ringer hela dagen. Gröna bårar bäres över kyrkogården. Ibland står en mörk klunga med mänskor kring en svart låda. Dödgrävarna kommer och går med sina spadar. Han får bära en kopparplåt med ett blått sidenband på bröstet, och tugga på en rot hela dan. Detta är koleran 54.

En dag går han mycket långt med en av jungfrurna. Han går så långt, att han längtar hem och gråter efter mamma. Jungfrun går in med honom i ett hus. De sitter i ett mörkt kök bredvid en grön vattentunna. Han tror aldrig han ska komma hem mer. Men de går längre bort. Förbi skepp och pråmar, förbi ett otrevligt tegelhus med långa höga murar, där fångar sitter. Han ser en ny kyrka, en lång allé med trän, en dammig landsväg med maskrosor i kanten. Nu bär flickan honom. Slutligen kommer de till ett stort stenhus, vid vilket står ett gult trähus med kors på, och en stor gård ligger där med gröna trän. De ser vitklädda mänskor, bleka, halta, sörjande. De kommer upp i en stor sal med brunmålade sängar. Bara sängar med gummor i. Väggarna är kalkvita, gummorna är vita, sängkläderna är vita. Och det luktar så illa. De går fram förbi en mängd sängar och stannar mitt i rummet vid en säng på höger hand. Där ligger en yngre kvinna med svart krusat hår, vit nattröja. Hon halvligger på rygg. Hennes ansikte är utmärglat, hon har en vit duk över huvud och öron. Hennes magra händer är till hälften lindade med vita trasor, och armarna skakar oupphörligt inåt, i båge, så att fingerknogarna gnides mot varann. När hon får se barnet, skakas armar och knän våldsamt och hon brister i gråt. Hon kysser gossens huvud. Gossen känner sig illa till mods. Han är blyg och gråtfärdig. — Känner han inte igen Kristin? säger hon. — Han måtte inte göra det. Och då torkar hon ögonen igen. — Hon beskriver nu sina lidanden för jungfrun, som tar fram små matvaror ur en pirat.

De vita gummorna öppnar nu halvhöga samtal och Kristin ber jungfrun inte visa vad hon har i piraten, ty de är så avundsjuka, de andra. Och därför smyger jungfrun in en gul riksdaler i psalmboken på nattbordet. Tiden är gossen så lång. Hans hjärta säger honom ingenting; icke att han druckit denna kvinnas blod, som tillhörde en annan, icke att han sovit sin bästa sömn vid denna sjunkna barm, icke att dessa skakande armar vaggat honom, burit honom, dansat honom, hjärtat säger honom ingenting, ty hjärtat är bara en muskel som pumpar blod, sak samma ur vilken brunn. Men när han går och mottagit hennes sista, brinnande kyssar, när han äntligen efter att ha bockat sig för gummorna och sköterskan kommer ut ur sjukluften och andas under träden på gården, så känner han liksom en skuld, en illa placerad skuld, som icke kan betalas med annat än evig tacksamhet och litet mat i en pirat och en riksdaler i psalmboken, och han skäms över att han är glad att vara ifrån lidandets brunmålade sängar.

Detta var hans amma, som sedan låg i femton år i kramp och utmärgling i samma säng tills hon dog, och han fick sitt porträtt i gymnasistmössa återsänt av direktionen för Sabbatsbergs sjukhus, där det hängt i långa år sedan den vuxne ynglingen slutligen endast en gång om året offrat en stund av obeskrivlig glädje åt henne, en stund av lätta samvetskval för honom själv. Om han ock fått brand i blodet av henne, fått kramp i nerverna, så kände han ändock en skuld, en representativ skuld, ty personligen var han ej skyldig henne något, då hon ej skänkt honom något annat än det hon var tvungen sälja. Detta att hon var tvungen sälja sitt blod, det var samhällets brott. Som samhällsmedlem kände han sig även i någon mån skyldig.

På kyrkgårn är han ibland. Där är allt främmande. Stenkällare med lock, som har bokstäver och figurer, gräs som man ej får trampa på, trän med löv som ej får röras. Morbror tar en dag ett löv, men då kommer polisen. Den stora byggningen, vars fot han över allt törnar emot, förstår han ej. Där går folk ut och in; där höres sång och musik inifrån; och den ringer och slår och klämtar. Den är hemlighetsfull. Och på östra gaveln sitter ett fönster med ett förgyllt öga på. — Det är Guds öga! — Det förstår han inte, men det är i alla fall ett mycket stort öga, som bör se långt.

Under fönstret är en källarglugg med galler. Morbror visar gossarna att därnere står blanka likkistor. — Där bor Clara Nunna. — Vem var det? — Det vet han inte, men det var väl ett spöke.

Han står inne i ett förfärligt stort rum och vet inte var han är hemma. Det är mycket vackert; allting i vitt och guld. En musik såsom av hundra fortepianon sjunger ovanför hans huvud, men han ser icke instrumenten eller spelmannen. Bänkar står i en lång allé och längst fram är en tavla, ur bibliskan troligen. Två vita mänskor ligger på knä och har vingar, och där står stora ljusstakar. Det är troligen ängeln med de två förgyllda ljusen, som går omkring vårt hus. Och där står en herre i röd rock och är tyst med ryggen vänd utåt. I bänkarna lutar sig mänskorna ner som om de sov. — Tag av er mössorna, säger morbror och lägger hatten för ansiktet. — Gossarna tittar sig om, och nu ser de strax invid sig en brunmålad, ovanlig pall, på vilken ligger två män i gråa kåpor och kapuschonger över huvudet; de har järnkedjor om händer och fötter, och gardister står bredvid dem.

— Det är tjuvar, viskar morbror.

Gossen tycker det är hemskt härinne, oförklarligt, ovanligt, strängt, och kallt också. Det tycker visst bröderna också, ty de ber morbror att få gå och han går genast.

Obegripligt! Det är hans intryck av den kult, som skall måla kristendomens enkla sanningar!

Grymt! Grymmare än Kristi milda lära.

Det där med tjuvarna var värst. Järnkedjor och sådana rockar!

*

En dag när solen skiner varmt blir det oro i huset. Möbler flyttas, lådor tömmes, kläder ligger kastade här och där. En morgon strax efter kommer en långkärra och en droska och hämtar; och så reser man; somliga på roddbåtar från Röda Bodarna, andra i droskan. Vid hamnen osar olja, talg och stenkolsrök; de nymålade ångbåtarna skiner i lysande färger och flaggor svajar; långkärror skramlar förbi de stora lindarna, gula ridhuset ligger där kvar dammigt och ruskigt bredvid vedskjulet. Han skulle fara på sjön. Men först hälsar de på fadern inne på kontoret. Han förvånas att i honom träffa en glad, rask man, som skämtar med brunstekta ångbåtskaptener och har ett vackert, välvilligt leende. Ja, han är till och med ungdomlig och har en pilbåge, som kaptenerna brukar skjuta med på ridhusets fönster. Det är trångt på kontoret, men de får komma innanför det gröna skranket och dricka ett glas porter bakom en gardin. Bokhållarna är artiga, men påpassliga när fadern tilltalar dem. Han hade aldrig sett fadern i hans verksamhet förr; bara sett honom hemma som den trötte och hungrige familjeförsörjaren och domaren, som föredragit bo tillsammans med nio personer i tre rum i stället för att bo ensam i två. Han hade bara sett den sysslolöse, ätande och tidningsläsande fadern på hans nattliga visiter i hemmet, han hade icke sett mannen i hans verkningskrets. Han beundrade honom, men kände att han även fruktade honom mindre nu och han trodde att han skulle kunna tycka om honom en gång.

Han var rädd för sjön, men innan han vet ordet av, sitter han i ett ovalt rum med vitt och förgyllning och med röda sammetssoffor. Så fint rum hade han aldrig förr sett. Men det bullrar och skakar. Han tittar ut genom ett litet fönster och nu ser han gröna stränder, blågröna vågor, höskutor och ångbåtar tåga förbi. Det var som ett panorama eller som de sagt att teatern var. På stränderna marscherar fram små röda hus och vita, utanför vilka står gröna trän med snö på; stora gröna dukar surrar förbi med röda kor på, alldeles som i julklappsaskarna; solen svänger runt och nu går man in under trän med gula fransar och bruna maskor, bryggor med vimplande segelbåtar, stugor med höns utanför och en skällande hund; solen skiner på fönster-rader, som ligger på marken, och gubbar och gummor går med vattenkannor och krattor; så blir det idel gröna trän igen, som lutar sig ner över vattnet, gula badhus och vita; det smäller ett kanonskott över hans huvud, bullret och skakningen upphör; stränderna stannar; han ser en stenmur ovanför sitt huvud och mänskors byxor och kjolar samt en hop skodon. Han ledes opp för trappan, som har en ledstång av guld, och han ser ett stort, stort slott.

— Här bor kungen, säger någon.

Det var Drottningsholms slott; det vackraste minnet från hans barndom, sagböckerna medräknade.

Sakerna är uppackade i en vit stuga oppe på en backe, och nu rullar barnen i gräset, riktigt gröngräs utan maskrosor som på Klara kyrkogård. Det är så högt, så ljust och skogar och fjärdar grönskar och blånar i fjärran.

Soplåren är glömd, skolrummet med lukt av svett och urin är förgätet, de svåra kyrkklockorna dånar ej mer, dödgrävarna är borta. Men om aftonen ringer det i en liten klockstapel strax bredvid. Han ser med förundran på den lilla beskedliga klockan, som svänger i fria luften och sjunger så lagom hårt ut över park och vikar. Han tänker på de grymma basarna i tornet därhemma, som han bara fått se ett ögonblick som ett mörkt gap, när de slängde ut genom gluggarna.

Om kvällen, när han somnar trött och nytvättad efter alla svettbad, hör han hur tystnaden ringer i öronen och han väntar förgäves höra klockan slå och tornväktaren tuta.

Och så vaknar han nästa morgon för att stå upp och leka. Han leker dag ut, dag in, en hel vecka. Aldrig går han i vägen mer och det är så fredligt. De små sover inne och han är ute hela dagen. Fadern syns inte. Men på lördan kommer han ut och då har han halmhatt och är glad, nyper pojkarna i kinden och berömmer dem för att de växt och blivit bruna. Han slåss aldrig mer, tänker barnet. Men han förstår ej att det kunde bero på något så enkelt som att det var bättre om utrymme härute, och att luften var renare.

Sommaren gick lysande, hänförande som en trollsaga. Under poppelalléer silverbeslagna lakejer, på sjön himmelsblå drakskepp med riktiga prinsar och prinsessor, på vägarna gula kalescher, purpurröda landåer och arabiska hästar i fyrspann, som sprang efter piskor så långa som tömmar.

Och kungens slott med speglande golv och guldmöbler, marmorkakelugnar, tavlor. Parken med sina alléer som långa, höga, gröna kyrkor; vattenkonsterna med oförståeliga figurer från sagböckerna, sommarteatern, som förblev en gåta, men begagnades som labyrint, Götiska tornet, alltid stängt, alltid hemlighetsfullt, utan annan uppgift än att återge ekot av de talandes röster.

Han promenerades i parken av sin kusin, som han kallade tant. En nyss utvuxen, vacker flicka med fina kläder och parasoll. De kommer in i en skog, som är dyster med mörka granar, de vandrar ett stycke längre bort, längre; nu höres sorl av röster, musik och slammer av tallrikar och gafflar; de står framför ett litet slott olikt allt annat. Drakar och ormar slingrar sig ner för takåsarna, gubbar med gula, äggrunda ansikten tittar ner med svarta, sneda ögon och hårpiskor i nacken, bokstäver, som han inte kan läsa, och som liknar något och ändå är olika allt annat, kryper utmed taklisten. Men nere i slottet för öppna dörrar och fönster sitter kungar och kejsare till bords och äter på silver och dricker viner.

— Där sitter kungen, säger tanten.

Han blir rädd och ser efter om han trampar i gräset eller är på väg att göra något ont. Han tycker att den vackra kungen, som bär välvilliga drag, ser mitt igenom honom; och han vill gå bort. Men varken Oscar I eller de franska marskalkarna eller ryska generalerna tittar på honom, ty de tänker nog nu på freden i Paris, som skall göra slut på orientaliska kriget. Poliserna går däremot omkring som rytande lejon, och dem har han ett obehagligt minne av. Bara han ser en sådan, känner han sig brottslig och tänker på tre riksdaler och sexton skilling banko.

Han har emellertid sett den högsta uppenbarelsen av

makten, högre än brödernas, moderns, faderns, vice-värdens, värdens, generalens med plymascherna, polisens.

Det är en annan gång. Återigen med tanten. De passerar ett mindre hus vid slottet. På en sandig gård står en man: civil, i panamahatt och sommarkläder. Han har svart skägg och ser stark ut. Runt omkring honom löper i en lina en svart häst. Mannen rör på en harskramla, smäller med en piska och lossar skott.

— Det är kronprinsen! säger tant.

Han såg då ut som en vanlig mänska och var klädd som morbror Janne.

En annan gång, i parken, djupt inne i skuggan under de höga träden, stannar en officer på en häst. Han "gör honnör" för tant, håller in hästen, tilltalar tant och frågar gossen vad han heter. Han svarar som sanningen är, ehuru något blyg. Det mörka ansiktet ser på honom med goda ögon och han hör ett djupt, dånande skratt. Därpå försvinner ryttaren.

— Det var kronprinsen!

Kronprinsen hade talat till honom!

Han känner sig lyftad och liksom tryggare. Den förfärlige makthavaren var ju snäll.

En dag får han veta att far och faster är gamla bekanta med en herre, som bor på stora slottet och går i trekantig hatt och har sabel. Slottet får ett annat, vänligare utseende. Han är liksom bekant med dem däruppe, ty kronprinsen har talat med honom och pappa kallar kamrern du. Numera förstår han att de granna lakejerna står under honom, i synnerhet när han får veta att köksan promenerar med en sådan om kvällarna.

Han har fått nys om den sociala skalan och upptäckt att han inte står lägst åtminstone.

Innan han vet ordet av är trollsagan slut. Soplåren och råttorna står där igen, men vicevärdens Kalle begagnar icke mer sin auktoritet, när Johan vill gräva upp stenläggningen; ty Johan "har talat med kronprinsen", och herrskapet har "bott på sommarnöje".

Gossen har sett överklassens härlighet i fjärran. Han längtar dit som till ett hemland, men moderns slavblod uppreser sig däremot. Han vördar av instinkt överklassen, vördar den för mycket att våga hoppas komma dit. Och han känner att han icke hör dit. Men han hör inte till slavarna heller. Detta blir en av slitningarna i hans liv.

2. Dressyren börjar

Stormen hade gått förbi. Släktassociationen började upplösa sig. Man kunde gå själv. Men överbefolkningen, familjens tragiska öde, pågick. Dock, döden gallrade. I huset fanns alltid svarta papper från begravningskarameller klistrade upp på barnkammarväggarna. Modern gick beständigt i kofta, och alla kusiner och tanter hade konsumerats som faddrar, så att numera bokhållare, ångbåtskaptener och restauratriser måste anlitas. Detta oaktat tycktes välståndet småningom återvända. Som utrymmet började bli knappt flyttade familjen ut på en malm, där man fick sex rum och kök i en malmgård vid Norrtullsgatan. Samtidigt inträder Johan vid sju års ålder i Klara högre lärdomsskola. Det var lång väg att gå fyra gånger om dagen för korta ben, men fadern ville att barnen skulle härdas. Detta var riktigt och lovvärt, men så mycken onödig muskelförbrukning borde ha blivit ersatt med stark föda; dock, dit sträckte sig icke husets tillgångar, och dessutom kunde icke det överdrivna hjärnarbetet uppvägas av den ensidiga gångrörelsen med bärandet på en tung bokväska.

Det blev brist på jämvikt i plus och minus och nya slitningar uppstod som följd.

*

Om vintermorgonen väckes sjuåringen och bröderna

34

klockan sex vid kolmörker av husan. Han är icke fullsövd, utan har ännu sömnfebern i kroppen. Far och mor och småsyskon och pigor fortfar att sova. Han tvättar sig i kallt vatten, dricker en kopp kornkaffe med ett franskt bröd, under det han störtar igenom fjärde deklinationens ändelser i Rabes grammatika; durkar igenom en bit på "Josef säljes av sina bröder" och rabblar opp andra artikeln med förklaring.

Så stoppas böckerna i väskan och man går. Utanför porten på Norrtullsgatan är det mörkt än. Varannan oljelykta vinglar på sina rep för en kall vind och snödrivorna är djupa. Ingen dräng har ännu varit ute och skottat. Mindre gräl om hastigheten i marschtempot uppstår mellan bröderna. Endast bagarkärrorna och poliser är i rörelse. Vid Observatorium är snödrivorna mycket höga, vilket gör att byxor och stövlar blir genomvåta. I Kungsbacken inträder man hos bagarn och köper frukostbröd, ett franskt bröd, som vanligen uppätes på vägen.

Vid Hötorgsgränden skildes han från bröderna, som gick i ett privat realläroverk. När han slutligen anlände till hörnet av Klara Bergsgränd slog klockan, den fatala klockan i Klara. Han fick vingar under benen, väskan dunkade honom i ryggen, tinningarna bultade, hjärnan hoppade under pulsarnas våldsamma slag. När han kom i kyrkogårdsgrinden, såg han att klasserna var tomma. Det var för sent.

Plikten var för honom som ett givet löfte. "Force majeure", tvingande nöd, intet kunde lösa honom. Sjökaptenen har tryckt på konossementet att han förbinder sig leverera varan oskadd den och den dagen, "om Gud vill". Om Gud ger storm eller snö, är han löst. Men gossen hade inga sådana försiktighetsmått för sig vidtagna. Han hade försummat sin plikt och han skulle ha straff: det var allt.

Han gick med tunga steg in i klassen. Där var endast kustos, som log emot honom, och hans namn skrevs opp på svarta tavlan under rubriken: Sero.

En kvalfull stund gick, och så höres starka nödrop i secunda och rappen av en rotting faller tätt. Det är rektorn, som gör sin razzia eller tar sin motion på de senkommande. Han faller i häftig gråt och darrar i hela kroppen. Ej för smärtan, men för vanäran att läggas opp som ett slaktdjur eller en delinkvent. Då öppnas dörren. Han far opp. Men det är städerskan, som skall putsa lampan.

— God dag Johan, säger hon. Har han kommit för sent, som är så ordentlig annars. Hur mår Hanna?

Johan upplyser att Hanna mår väl och att det snöat så mycket på Norrtullsgatan.

— Har ni flyttat till Norrtullsgatan, Gubevare oss.

Nu öppnar rektorn dörrn och rektorn kommer in.

— Nåå, du!

— Rektorn ska inte vara obeskedlig mot Johan, för han bor på Norrtullsgatan.

— Tyst, Karin, säger rektorn, och gå!

— Jaså du, du bor på Norrtullsgatan, du? Det är långt bort det. Men du kan passa tiden ändå.

Han vände och gick.

Det var Karins förtjänst att han undkom stryk. Och det var ödets att Hanna tjänat hos rektorn sammans med Karin. Det var relationernas makt, som räddade honom från en orättvisa.

Och så skolan och undervisningen! Är det nog skrivet ännu om latin och rotting! Kanske! Ty han hoppade själv på äldre dagar över alla de ställen i böcker, som handlade om skolminnen, och han undvek alla böcker, som behandlade det ämnet. Hans svåraste drömmar som vuxen, när han ätit något tungt om aftonen eller haft en ovanligt bekymmersam dag, bestod i att han återfann sig i Klara skola.

Nu är förhållandet det, att lärjungen får en lika ensidig föreställning om läraren som barnet om föräldrarna. Den första klassläraren, han hade, såg ut som människoätaren i sagan Tummeliten. Han slogs jämt och sade att han skulle piska barnen så de skulle krypa på golvet, han skulle piska dem "som gryn" om de ej kunde sin läxa.

Han var emellertid inte värre än att Johan som gymnasist var nere med kamraterna och lämnade ett album, när han for från Stockholm, och att läraren var mycket omtyckt, ansågs som en riktig hederspascha. Mannen slutade som lantbrukare och hjälte i en östgöta-idyll.

En annan ansågs som ett monster av elakhet. Han tycktes verkligen slåss av böjelse. — Tag fram rottingen, så började han lektionen, som sedan gick ut på att överraska så många som möjligt med icke överläst läxa. Denne lärare slutade med att hänga sig efter en skarp tidningsartikel. Men Johan hade då som student träffat honom ett halvt år förut i Uggelviksskogen, där han blivit rörd av den gamle lärarens klagan över världens otacksamhet. Ett år förut hade denne från Australien i julklapp mottagit en låda sten från en forden lärjunge. Kamrater till den grymme läraren talade även om honom såsom en välvillig tok, som de brukade driva med. Så många synpunkter, så många omdömen! Men än i dag kan icke gamla Klarister sammanträffa utan att utgjuta sin fasa, sitt hat till det obarmhärtigaste av allt uppenbarat i mänskohamn, liksom de ock alla erkänner att han var en utmärkt lärare.

De visste väl icke bättre, var väl så uppfostrade, de gamle, och vi som ju håller på att lära förstå allt, anses också skyldiga att förlåta allt.

Detta hindrade inte att skoltiden, den första, betraktades som en lärotid för helvetet och icke för livet; att lärarna förefoll vara till för att pina, icke straffa, att hela livet låg som en tung, tryckande mara dag och natt, då det inte hjälpte att ha kunnat sina läxor när man gick hemifrån. Livet var en straffanstalt för brott, begångna innan man var född, och därför gick barnet med permanent ont samvete.

Men Johan lärde också något för livet.

Klara var en skola för bättre mans barn, ty församlingen var rik. Gossen hade skinnbyxor och smorläderstövlar, som luktade tran och blanksmörja. Man satt därför inte gärna bredvid honom, när man hade sammetsblus.

Han iakttog också att de fattigt klädda fick mer stryk än de väl klädda, ja de vackra gossarna slapp alldeles. Om han då läst psykologi och estetik, skulle han förstått detta fenomen, men det förstod han ej då.

Examensdagen lämnade ett skönt, oförgätligt minne. De gamla, svarta rummen var renskurade; barnen helgdagsklädda; lärarna i frackar och vita halsdukar; rottingen undanlagd, alla avrättningar suspenderade. Jubel- och klangdag, då man kunde inträda i dessa pinorum utan att darra. Flyttningen inom klassen, som företogs på morgonen, beredde emellertid vissa överraskningar, och de nerflyttade anställde jämförelser och betraktelser, som icke alltid hedrade lärarens omdöme. Och betygen föreföll tämligen summariska, som de nog måste vara. Men lovet vinkade och allt skulle snart vara glömt. Vid avslutningen inne i kvinta fick lärarna tack och beröm av ärkebiskopen, men lärjungarna fick klander och förmaningar. Föräldrarnas närvaro, särskilt mödrarnas, gjorde dock de kalla rummen så varma och en ofrivillig suck: varför kunde det inte alltid få vara så fredligt som denna dag, steg nog upp hos barnen. Suckarna har blivit delvis hörda och ungdomen lär inte numera se i skolan en straffanstalt, om också den icke än har fått se någon tydlig mening i det myckna läxläsandet.

Han var icke något ljus i skolan, men icke någon odåga. Som han endast på grund av sina tidiga kunskaper genom dispens fått inträde i läroverket, emedan han icke uppnått erforderlig ålder, var han alltid yngst. Vid uppflyttning i secunda, dit hans betyg kallade honom, blev han kvarhållen ett år i klassen för att mogna. Detta var ett svårt bakslag i hans utveckling. Hans otåliga lynne led av att ett helt år läsa om gamla läxor. Mycken ledighet vann han, men hans läslust förslöades och han kände sig förbigången. Hemma var han yngst, i skolan också, men blott till åren, ty förståndet var äldre.

Fadern tycktes ha märkt hans läslusta och syntes vilja lägga på honom till student. Han hörde hans läxor, ty han hade fått elementarbildning. Men en gång då åttaåringen kom in med en latinsk explikation och bad om hjälp, måste fadern erkänna att han inte kunde latin. Barnet kände övertaget, och osannolikt är ej att fadern även kände det. Den äldre brodern, som börjat i Klara skola samtidigt med Johan, blev hastigt tagen därifrån, emedan Johan en dag blivit monitör för den äldre, som stående fick höras sin läxa av den yngre. Det var oförståndigt av läraren att så arrangera och klokt av fadern att rätta missförståndet.

Modern var stolt över sonens lärdom och skröt därmed för sina väninnor.

I familjen spökade ofta ordet student. Vid student-mötet i början av femtiotalet var staden översvämmad av vita mössor.

— Tänk när du får vit mössa! sade modern.

När studentkonserter hållits, talades därom i flera dagar. Uppsalabekanta kom också stundom ner till Stockholm och talade alltid om studentens glada liv. En barnpiga, som städat i Uppsala, kallade Johan studenten.

Mitt i skollivets förfärliga hemlighetsfullhet, där barnet aldrig kunde finna något kausalsammanhang mellan latinska grammatikan och livet, uppdök ett nytt hemlighetsfullt moment för en kort tid, för att sedan försvinna. Rektorns nioåriga dotter bevistade de franska lektionerna. Hon placerades med avsikt på borters-ta bänken för att hon ej skulle ses, och att vända sig om på platsen var ett grovt brott. Hon fanns där emellertid och hon kändes i rummet. Gossens fysiska könsliv var ännu icke vaket, men han, som troligen hela klassen, blev kär. Läxorna i ämnet, då hon var närvarande, gick alltid bra, ambitionen var sporrad, och ingen ville bli pryglad och förödmjukad i hennes närvaro. Hon var säkerligen ful, men hon var fint klädd. Hennes mjuka röst, bland målbrottspojkarnas, klang igenom, och lärarens, monstrets sträva anlete log, när han talade till henne. När han ropade upp hennes namn, vad det lät vackert! Och ett förnamn bland alla dessa familjenamn!

Hans kärlek yttrade sig i en stilla melankoli. Han fick aldrig tala vid henne, och skulle aldrig ha vågat. Han fruktade och åtrådde henne. Men om någon kommit och frågat vad han ville henne, skulle han icke kunnat säga det. Han ville henne ingenting. Kyssa henne? Nej, man kysstes aldrig i hans familj. Ta i henne? Nej! Mycket mindre då äga henne. Äga? Vad skulle han göra med henne? Han kände att han bar på en hemlighet. Den plågade honom så att han led och hela livet mörknade. En dag hemma tog han en kniv och sade: Jag vill skära halsen av mig. Modern trodde han var sjuk. Det kunde han inte säga. Han var då omkring nio år.

Hade det nu varit lika många flickor som gossar i skolan och under alla lektioner, skulle troligen små oskyldiga vänskapsförbindelser uppstått, elektriciteterna blivit avledda, madonnadyrkan reducerad och hans oriktiga begrepp om kvinnan icke följt honom och de andra kamraterna genom livet.

*

Faderns kontemplativa lynne, skygghet för mänskorna efter nederlagen, opinionens på honom vilande dom över hans i början olagliga förbindelse med modern, hade kommit honom att dra sig tillbaka till Norrtullsgatan. Där hade han hyrt en malmgård med stor trädgård, vidsträckta ägor med kobete, stall, ladugård och orangeri. Han hade alltid älskat landet och jordens odling. En gång förr hade han hyrt en egendom utanför staden, men kunde inte sköta den. Nu skulle han ha trädgård, kanske både för egen skull och barnens, som fick en uppfostran, som erinrade något om Emiles. Mellan långa plank låg huset isolerat från grannar. Norrtullsgatan var en trädplanterad aveny, som ännu icke hade stenlagda trottoarer och var föga bebyggd. Bönder och mjölkbud befor mest gatan, då de skulle in och ut från Hötorget. Likvagnarna som släpade ut till Nya Kyrkogården, slädpartier till Brunnsviken, ungherrar, som åkte till Norrbacka eller Stallmästargården, var därnäst de mest synliga trafikanterna.

Trädgården som omgav det lilla envåningshuset var vidsträckt. Långa alléer med minst hundra äppelträn och otaliga bärbuskar korsade varandra. Täta bersåer av syren och jasmin var placerade här och var, och en väldig gammal ek stod ännu kvar i ett hörn. Där var skuggigt, rymligt och lagom förfallet för att vara stämningsfullt. Öster om trädgården höjde sig en grusås, som var bevuxen med lönnar, björkar och rönnar; och överst stod ett tempel från förra århundradet. Åsens frånsida var uppgrävd här och där efter en misslyckad grustäkt, men erbjöd vackra partier av häggbevuxna dälder och snår av viden och törnen. Från denna sida såg man ej gatan eller huset. Vyn sträckte sig därifrån ut över Bellvy, Cederdalsbergen och Lilljansskogen. Endast få, spridda hus syntes på långt håll, tobakslador och trädgårdar däremot i oändlighet.

Man skulle sålunda bo på sommarnöje hela året om, och det hade barnet ingenting emot. Nu fick han se på nära håll och upptäcka själv växtlivets hemligheter och skönheter, och den första våren var en underbar överraskningarnas tid.

När jorden låg nygrävd med sin djupa svärta under äppelträdens vita och skära soltält, när tulpanerna lyste i sin orientaliska färgprakt, då tyckte han det var högtidligt att gå i trädgården, högtidligare än på examen och i kyrkan, julottan ej undantagen. Men härmed följde ett raskt kroppsliv. Gossarna skickades upp med skeppsskrapor att skrapa mossan av träden, de rensade landen och skyfflade gångarna, vattnade och krattade. Ladugården var befolkad med en ko, som fick kalv; höskullen blev en simskola, där det hoppades från bjälkarna, och hästen i stallet reds till brunnen att vattnas.

Lekarna uppe på åsen blev vilda; stenblock rullades, trädtoppar äntrades och strövtåg företogs.

Hagaparkens skogar och snår genomsöktes, i ruinerna nedsteg man på unga trän och fångade läderlappar, harsyrans och bergsötans ätbara egenskaper upptäcktes, fågelbon plundrades. Snart uppfanns krutet också, sedan pilbågen blivit avlagd, och hemma i backarna sköts snart kramsfågel. Med allt detta följde en viss förvildning. Skolan blev allt vidrigare och stadsgatorna ohyggliga.

Samtidigt började ungdomsböckerna skänka fart åt avciviliseringen. Robinson var epokgörande, och Amerikas upptäckande, Skalpjägaren, med flera, väckte en uppriktig leda för skolböckerna.

Vildheten tilltog så under det långa sommarlovet, att modern ej mer kunde styra de obändiga pojkarna. De skickades först på försök i simskolan vid Riddarholmen, men halva dagen gick åt på gatorna. Slutligen tog fadern det beslutet att sända de tre äldsta i inackordering på landet, där de skulle vistas sommaren ut.

3. Borta ifrån hemmet

Och så står han på fördäck på en ångbåt, långt ute på sjön. Det har varit så mycket att se på under resan att han inte känt någon ledsnad. Men nu är det eftermiddag, alltid melankolisk som den första ålderdomen, solens skuggor faller på nytt och förändrar allt, utan att som natten dölja allt. Han börjar sakna något. Det känns så tomt, övergivet, avbrutet. Han vill hem, men förtvivlan över att inte genast kunna det, slår honom med fasa och han gråter. När bröderna frågar honom varför, svarar han att han vill hem till mamma. De skrattar åt honom. Men nu dyker moderns bild upp. Han ser henne allvarlig, mild, leende. Hör hennes sista ord på landgången: var lydig och hövlig mot alla mänskor, var rädd om dina kläder och glöm ej din aftonbön. Han tänker på hur olydig han varit mot henne och han undrar om hon är sjuk. Hennes bild stiger upp renad, förklarad, och drager honom med längtans aldrig bristande trådar. Denna längtan och ödslighet efter modern följde honom hela hans liv. Hade han kommit för tidigt till världen, var han ofullgången, vad höll honom så bunden vid moderstammen?

Det fick han aldrig svar på varken i böckerna eller i livet, men förhållandet kvarstod: han blev aldrig sig själv, aldrig frigjord, aldrig en avslutad individ. Han förblev en mistel, som icke kunde växa utan att bäras upp av ett träd; han blev en klängväxt som måste söka ett stöd. Han var svag och räddhågad av naturen; han övades i alla manliga idrotter, var god gymnast, satt upp på löpande häst, förde alla slags vapen, sköt, simmade, seglade djärvt, men endast för att inte vara sämre än de andra. Om ingen såg honom när han badade, kröp han i; såg någon på kastade han sig på huvet från ett badhustak. Han kände sin räddhåga och ville dölja den. Han anföll aldrig kamrater, men angreps han, slog han igen, även en starkare. Han kom skrämd till världen och levde i ständig skrämsel för livet och mänskorna.

Båten ångar ut åt fjärdarna, havet öppnar sig; ett blått streck utan strand. Det nya skådespelet, den friska vinden, brödernas munterhet kryar upp honom, och så tänker han på att han snart rest aderton mil på sjön, när båten svänger in i Nyköpingsån.

När landgången lagts ut, kommer en medelålders man med ljusa polisonger, som efter ett kort samtal med kaptenen mottager gossarna. Han ser snäll ut och är glad. Det är klockaren i Vidala. På stranden står en trilla med en svart märr före, och strax är de uppe i staden och stannar på handelsmannens gård, där det också är bondkvarter. Det luktar sill och svagdricka inne på gården, och väntan blir olidlig. Han gråter en skur till. Äntligen kommer Herr Lindén på en bondvagn förande resesakerna, och efter många handtryckningar och små glas reser man ur staden. Det är afton när man kommer ut genom tullen. Trädesåkrar och gärdesgårdar öppnar ett långt, ödsligt perspektiv, och över röda byar syns i fjärran ett skogsbryn. Den skogen skall man igenom, och man har tre mil att åka. Solen går ner och man åker genom mörka skogen. Herr

Lindén pratar och söker hålla modet uppe. Han talar om lekkamrater, badställen och smultronplockning. Johan somnar. Vaknar vid en gästgivargård med fulla bönder. Hästarna spännes från och vattnas. Färden går genom mörka skogar. Man får stiga av och gå uppför backarna. Hästarna ryker och flåsar, bönderna på bagagevagnen skämtar och super, klockaren pratar med dem och säger roligheter. Och så åker man igen och sover. Åker vaken, stiger av och rastar. Mera skogar, som det förr varit rövare i, svarta granskogar under stjärnhimmel, stugor och grindar. Gossen är alldeles bortkommen och nalkas det okända med bävan.

Slutligen blir vägen jämn, det ljusnar, och vagnarna stannar utanför ett rött hus. Mitt emot huset står en hög, svart byggnad. En kyrka. Återigen en kyrka. En gumma, som han tyckte, lång och mager, kommer ut och tar emot barnen, som hon leder in i ett rum på nedra botten, där ett bord står dukat. Hon har en skarp röst, som inte låter vänlig, och Johan är rädd. Man äter i mörkret, men maten smakar ej, ty den är ovanlig, och man är trött med gråten i halsen. Så förs man opp på en vindskammare, fortfarande i mörkret. Intet ljus tändes. Där är trångt; sängar, bäddar på stolar och på golvet, och luktar förfärligt. Sängtäcken rör sig och ett huvud sticker opp. Så ett till. Det fnissar och viskar, men de nykomna kan inte se några ansikten. Äldsta bror får egen säng, men Johan och äldre bror skall ligga skafföttes. Det var nytt. Nå, de kryper ner och börjar dra på täcket. Stora bror sträcker ut sig ogenerat, men Johan protesterar mot övergreppet. De sparkas och Johan blir slagen. Han gråter genast. Äldsta bror sover redan.

Nu hörs en röst från en vrå djupt nere vid golvet.

— Ligg stilla, pojkdjävlar, och slåss inte.

— Vad säger du för slag? svarar bror, som är en djärv pojke.

Basrösten svarar:

— Vad jag säger? Jag säger att han inte ska vara kitslig mot den lilla!

— Angår det dig, det?

— Ja det angår mig. Kom hit han, ska jag klå honom.

— Klå? Du?

Bror stiger upp i skjortan. Basen möter på golvet. Det är en liten fyrkantig pjäs med breda axlar, det är allt vad man kan se. Många åskådare sitter upp i sängarna.

De slåss och stora bror får smörj.

— Nej slå honom inte; slå honom inte.

Lilla bror kastar sig emellan. Han kunde aldrig se någon av sitt blod få stryk eller lida, utan att känna det i sina nerver. Åter hans osjälvständighet, de olösliga blodsbanden, navelsträngen, som aldrig kunde klippas, men endast gnagas av.

Så blir det tyst och så faller sömnen på, den medvetslösa, som lär likna döden och som därför lockat så många till förtidig vila.

Nu börjar ett nytt litet liv för sig. Uppfostran utan föräldrar, ty barnet är ute i världen bland främmande mänskor. Han är rädd och undviker omsorgsfullt alla anmärkningar. Angriper ingen, men försvarar sig mot översittare. Emellertid är man tillräckligt många för att kunna få jämvikt, och rättvisa skipas av den bredaxlade, som är puckel, men kanske därför alltid går med den svagare, när han anfalles orättvist.

Det läses om förmiddagarna, badas före middan och arbetas om eftermiddagarna. Det rensas i trädgården, bäres vatten från källan, ryktas i stallet. Det är fars önskan att barnen skall arbeta med kroppen fast de betalar vanlig inackordering.

Men Johans lydnad och pliktkänsla för egen del räcker ej att göra honom livet drägligt. Bröderna utsätter sig för anmärkningar, och dem lider han lika mycket av. Han känner sig solidarisk och blir aldrig mer än en tredjedels mänska den sommaren. Straff, andra än att sitta inne, förekommer ej, men anmärkningar är nog för att oroa honom. Arbetet gör honom stark till kroppen, men nerverna är lika känsliga för intryck. Ibland sörjer han modern, ibland är han ystert glad och anför lekarna, helst de våldsamma. Att bända loss stenar i kalkstensbrottet och tända eldar på dess botten, åka på brädlappar utför branta berg. Rädd och oförvägen, uppsluppen och grubblande, ingen jämvikt.

Kyrkan står på andra sidan vägen och kastar en skugga över sommartavlan med detta becksvarta tak, denna likvita vägg. Gravkorsen sticker upp över kyrkmuren och ingår slutligen i hans dagliga fönsterutsikt. Kyrkan slår icke hela dygnet som Klara, men om aftonen klockan sex får gossarna gå ut och klämta med linan, som hänger ner från tornet. Det var ett stort ögonblick när hans tur kom att klämta första gången. Han var nästan en kyrkans ämbetsman och när han räknade tre gånger de tre slagen, trodde han att Gud, pastorn och socknen skulle ta skada, om han klämtade ett slag för mycket.

På söndagen fick de stora pojkarna gå upp och ringa klockorna. Då stod Johan i den mörka trätrappan och

48

beundrade. Fram på sommaren kom en kungörelse med svarta kanter. När den lästes upp i kyrkan, blev det stor rörelse. Kung Oscar var död. Det talades mycket gott om honom, om också ingen direkt gick och sörjde honom. Men nu ringdes det varje dag mellan tolv och ett.

Kyrkklockorna tycktes förfölja honom.

På kyrkogården lekte man mellan gravarna och kyrkan blev snart en intim. Om söndagen placerades alla inackorderingarna på orgelläktaren. När klockaren nu tog upp psalmen, utposterades pojkarna vid stämmorna, och vid en nick från mästaren drogs alla stämmor ut på en gång, och ungdomen bröt in i kör. Det gjorde alltid stor effekt på församlingen.

Emellertid, genom att se de heliga tingen på nära håll och genom att handskas med rekvisitan till kulten gjordes han snart familjär med dessa höga saker, och respekten minskades. Sålunda blev nattvarden icke vidare upplyftande, när han på lördagskvällen ätit av det heliga brödet i klockarens kök, där det bakades och stämplades ut med en stamp, på vilken krucifixet var graverat. Gossarna åt det och kallade det munlack. Efter nattvardsgångens slut blev han en gång bjuden på vin inne i sakristian tillsammans med kyrkvärdarna.

Dess oaktat började nu, sedan han lösryckts från modern och han kände sig omgiven av okända, hotande makter, ett starkt behov att sluta sig till något skydd att vakna. Han bad sina aftonböner med tämlig andakt; om morgnarna, när solen sken och kroppen var utvilad, erfor han inte detta behov.

En dag när kyrkan vädrades sprang barnen och lekte därinne. I ett anfall av ysterhet stormades altaret. Men Johan, som eggades till ytterligare bragder, ränte opp på predikstolen, vände timglaset och predikade ur bibeln. Detta upptåg gjorde stor lycka. Därpå gick han ner och sprang genom hela kyrkan på de översta bänkkanterna utan att röra vid golvet. Framkommen till första bänken vid altaret, grevens bänk, trampar han för hårt på psalmbokspulpeten, vilken med ett brak störtar ner i golvet. Panik. Alla kamraterna störtar ut ur kyrkan. Han stod där ensam, tillintetgjord. Nu skulle han ha velat störta till modern, bekänna sin skuld och be henne om hjälp. Men hon fanns där inte. Han kommer ihåg Gud. Faller på knä vid altaret och läser hela Fader vår. Stark och lugn, såsom om han fått en tanke ovanifrån, stiger han upp från golvet, undersöker bänken, ser att tapparna ej är avbrutna; tar listen, passar in fogar och tappar, rycker av skon, som han förvandlar till hammare, och med några väl riktade slag är pulpeten lagad. Han prövar sitt verk; det håller. Och han går, jämförelsevis lugn, ut ur kyrkan — Så enkelt, tyckte han nu. Och han skämdes över att ha läst Fader vår. Varför skämdes han? Kanske han kände dunkelt, att uti detta orediga komplex, som kallas själ, fanns en kraft, som, i nödens stund uppkallad till självförsvar, ägde ganska stor förmåga att reda sig. Att han inte trodde att Gud hjälpt honom framgick därav, att han icke föll ner och tackade honom för hjälpen, och denna svävande förnimmelse av blygsel uppstod troligen därav, att han insåg att han gått över ån efter vatten.

Men detta var blott ett övergående moment av självkänsla. Han förblir ojämn och numera även nyckfull. Nyck, kapris, eller "diables noirs", som fransmannen kallar det, är ett icke fullt förklarat fenomen. Offret är besatt: det vill ett, men gör motsatsen; det

50

lider av begär att tillfoga sig ont och nästan njuter av självplågeriet. Det är en själssjukdom, en viljans sjuklighet, och äldre psykologer vågade en förklaring medelst framhållande av tvåheten i hjärnan, vars två hemisfärer kan under vissa förhållanden operera självständigt var för sig, och i strid mot varandra. Men den förklaringen är förkastad. Personlighetens dubbelhet har många observerat, och Goethe har behandlat ämnet i Faust. Nyckfulla barn, som inte "vet vad de vill", slutar med gråt, nervspänningens upplösning. De "tigger stryk", säger man också, och eget är att se huru en lätt aga vid sådana tillfällen liksom sätter nerverna i jämvikt och tycks nästan välkommen av barnet, som genast lugnar av, är försonlig och inte alls bitter över det straff det efter sin mening måste anse sig ha lidit orättvist. Det tiggde verkligen stryk såsom medicin. Men det finns ett annat sätt att utdriva de svarta andarna. Man tar barnet i sina armar, så att det känner en vänlig människas magnetism, och det lugnar av. Det sättet är bättre än alla andra.

Gossen hade sådana anfall. När ett nöje vinkade, en utflykt med bärplockning till exempel, bad han få stanna hemma. Han visste att han skulle få dödande tråkigt hemma. Han ville så gärna fara med, men han ville framför allt stanna hemma. En annan vilja, starkare än hans, befallde honom stanna hemma. Ju mer man resonerade med honom, dess fastare blev motståndet. Men kom då någon helt frankt och tog honom skämtsamt i kragen och kastade upp honom på höskaket, då lydde han och var glad att han så blev befriad från den oförklarliga viljan. Han lydde i allmänhet gärna och ville aldrig sticka sig upp eller befalla. Han var född för mycket slav. Modern hade tjänat och lytt hela sin ungdom och som uppasserska varit hövlig mot alla.

En söndag var de i prästgården. Där var flickor. Han tyckte om dem, men var rädd för dem. Hela barnskaran gick ut och plockade smultron. Någon hade föreslagit att man skulle slå tillsammans bären och sedan äta dem med sked till socker, när man kom hem. Johan plockade flitigt och höll överenskommelsen, åt ej ett bär utan avlämnade sin tribut ärligt. Men han såg andra som fuskade. Vid hemkomsten utdelas bären av prästens dotter, och barnskaran tränger sig fram kring flickan att få var och en sitt skedblad. Johan håller sig längst bakom. Blir glömd och blir utan bär.

Förbigången! Med bitterhet i sinnet såsom en förbigången, går han ut i trädgården och gömmer sig i en berså. Han känner sig som den sista, den sämsta. Men nu gråter han ej, utan han känner något hårt och kallt resa sig som en stålstomme inne i sig. Och efter anställd kritik på hela sällskapet finner han att han var den redligaste, ty han åt inte ett bär ute på svedjan, och så — pang! där kom felslutet — därför att han var bättre än de andra, så blev han förbigången. Resultat: han ansåg sig bättre än de andra. Och han erfor en stark njutning av att vara förbigången.

Han hade också en förmåga att göra sig osynlig och hålla sig undan, så att han blev förbigången. Fadern kom en gång hem med en persika till aftonbordet. Alla barnen erhöll en skiva av den sällsynta frukten, men hur det föll sig, Johan blev utan, och det så att den eljes rättvise fadern icke märkte det. Han kände sig så stolt av denna nya påminnelse om sitt oblida öde, att han senare på aftonen måste skryta för bröderna med det.

De trodde honom icke, så orimlig ansåg de historien. Ju orimligare, ju bättre!

Han plågades även av antipatier. En söndag på landet kom det en vagn med ungdom till klockargården. Ur steg en svartmuskig gosse med dolsk men djärv uppsyn. Johan sprang vid hans åsyn och gömde sig på vinden. Man letade upp honom, klockaren smickrade honom, men han blev sittande i sin vrå och hörde på huru barnen lekte, ända tills den svarta gossen hade rest.

Kalla bad, vilda lekar, strängt kroppsarbete, ingenting kunde härda hans lösa nerver, som stundom ett ögonblick kunde spännas till det yttersta.

Han hade gott minne, läste ordentligt, helst om reala ting såsom geografi och naturkunskap. Aritmetik gick in minnesvägen, men geometri hatade han. En vetenskap om overkligheter oroade honom; först senare, när han fått fatt i en handbok i lantmäteri och insett geometriens praktiska nytta, fick han lust för ämnet, och då mätte han upp träd och hus, revade trädgårdsland och alléer och konstruerade pappfigurer.

Han ingick nu i sitt tionde år. Var bredaxlad och brunhyllt; håret var blont och struket upp över en sjukligt hög och framstående panna, vilken ofta var föremål för samtal och av släktingar gav anledning till öknamnet "professorn".

Han var icke längre automat, utan började samla egna iakttagelser och draga slutledningar, därför nalkades den tidpunkt, då han skulle söndra sig från sin omgivning och gå ensam. Men ensamheten måste för honom bli en ökenvandring, ty han ägde icke nog stark individualitet att kunna gå för sig själv; hans sympati för mänskorna skulle bli obesvarad, emedan deras tankar icke kunde gå jämnt med hans; och sedan skulle han gå omkring och bjuda ut sitt hjärta åt den förstkommande, men ingen skulle ta emot det, ty det var dem främmande, och så skulle han dra sig tillbaka i sig själv, sårad, förödmjukad, förbisedd, förbigången.

*

Sommaren gick till sitt slut och han reste hem till skolans öppnande. Dubbelt trist föreföll nu det mörka huset vid Klara kyrkgård, och när han såg den långa filen av rum, som under latinska namnen till och med qvinta, skulle genomsläpas på bestämt utstakade år, innan en ny fil av rum på gymnasium skulle genomtråkas, då tyckte han att livet just inte var lockande. Samtidigt börjar hans självtänkande att revoltera mot läxorna. Följden blir dåliga betyg. En termin senare, efter nerflyttning i klassen, tar fadern honom ur Klara skola och sätter honom i Jakobs, på samma tid man bryter upp från Norrtullsgatan och installerar sig i en malmgård på Stora Gråbergsgatan nära Sabbatsberg.

4. Beröring med underklassen

Kristineberg, så vill vi kalla malmgården, låg ännu ensligare än huset på Norrtullsgatan. Gråbergsgatan var icke stenlagd. Endast en ensam vandrare kunde där ses en gång i timmen, och vagnsbuller var en händelse, som lockade en till fönstren att se vad det var. Huset låg inne på en trädbevuxen gård och liknade en prästgård på landet. Omgavs av trädgård och stora tobaksplantager; vidlyftiga ägor med dammar sträckte sig åt Sabbatsberg. Men nu arrenderade fadern ingen jord, varför den lediga tiden åtgick till att slå dank. Lekkamraterna utgjordes nu av fattigare mans barn. Mjölnarens pojkar och kogubbens. Lekplatserna var särskilt kvarnbackarna, och kvarnvingarna var leksakerna.

Jakobs skola var fattiga barns skola. Här ingår han i umgänge med underklassen. Kamraterna var sämre klädda, var såriga om näsan, hade fula drag och luktade illa. Hans egna skinnbyxor och smorläderstövlar gjorde ingen dålig effekt här. Han kände det lugnare i denna omgivning, som anstod honom; blev mera förtrolig med dessa barn än med de högfärdiga i Klara.

Men många av dessa barn var bjässar i att kunna sina läxor, och skolans snille var en bondpojke. Jämsides därmed fanns många så kallade "busar" i de lägre klasserna, och dessa slutade vanligen i andra. Han gick nu i tredje och kom ej i beröring med dem, och de rörde aldrig någon i en högre klass. Dessa barn gick samtidigt i något yrke, var svarta om händerna, rätt gamla, ända till fjorton, femton år. Många av dem seglade med briggen Carl Johan om somrarna, och uppträdde sedan på hösten i tjäriga lärftbyxor, svångrem och kniv. De slogs med sotare och tobaksbindare, tog aptitsupen i frukostlovet, gick på krogar och kaffehus. Oupphörliga rannsakningar och utvisningar var dessa gossar utsatta för och ansågs i allmänhet, men med stor orätt, som dåliga barn. Många av dem har sedan blivit duktiga borgare och en, som seglat på Carl Johan, (busbriggen), har sedan slutat som officer vid gardet. Han har aldrig vågat tala om sin seglats, men när han för vaktparaden framåt Nybrohamnen, och ser den beryktade briggen ligga där, går det en rysning genom honom, säger han.

En dag mötte Johan en forden kamrat från Klara och han sökte undvika honom. Men denne går på Johan och frågar honom i vilken skola han nu går.

— Jaså, du går i den busskolan, sade kamraten.

Johan kände att han kommit "ner", men han hade själv önskat det. Han framstod inte alls bland kamraterna, men kände sig hemma med dem, befryndad med dem och han trivdes bättre än i Klara, ty här tryckte icke något uppifrån. Han ville själv icke stiga upp och trycka ner någon, men han led av press uppifrån. Han ville icke ditupp, men han erfor ett behov av, att det inte skulle finnas några däruppe. Men det grodde ändå i honom det där, att de gamla kamraterna ansåg honom ha gått ner. Och när han på gymnastikuppvisningen kom i Jakobisternas dunkla trupp och mötte Klaristernas lätta rotar med fina sommarkläder och ljusa ansikten, då såg han klass-skillnaden och föll då ordet "buse" ifrån det andra lägret, då osade det krig i luften.

De båda skolorna slogs ibland, men Johan gick aldrig med. Han ville icke se de gamla vännerna och icke visa sin förnedring.

Examensdagen erbjöd i Jakob en annan anblick än i Klara. Hantverkare, tarvligt klädda gummor, utstyrda restaurationsfruar, åkare, krögare utgjorde publiken. Och det tal skolans inspektor höll för församlingen, det var annat än ärkebiskopens glada blomstertal. Han läste upp namnen på de lata (eller för läsning svagt begåvade), hunsade föräldrar för att deras barn kommit för sent eller uteblivit, och salen genjöd av gråt från fattiga mödrar, som kanske icke vållat dessa lätt förklarliga försummelser, och som i sin enfald trodde sig ha dåliga söner. Så kom premierna. Det var alltid burgna borgarsöner, som haft råd att uteslutande ägna sig åt läxorna, som nu hälsades såsom dygdemönster.

Moralen, som väl skulle vara läran om skyldigheter och rättigheter, men slutligen blivit en lära om vår nästas skyldigheter mot oss, uppträdde uteslutande som en stor författningssamling av skyldigheter. Ännu hade barnet inte hört talas om en enda mänsklig rättighet. Allt var på nåd; han levde på nåd, åt på nåd, fick gå i skolan på nåd. Här i de fattigas skola begärde man än mera av barnen. Man begärde av de fattiga att de skulle ha hela kläder. Var skulle de få dem ifrån? Man gjorde anmärkning på deras händer, därför att de blivit svarta under beröring med tjära och beck; man begärde uppmärksamhet, fina seder, hövlighet, det vill säga allt orimligt. Lärarnas skönhetssinne narrade dem ofta till orättvisor. Johan hade en knäkamrat som aldrig var kammad, hade sår under näsan, flytningar ur öronen, vilka luktade illa. Hans händer var orena, hans kläder fläckiga och trasiga. Sällan kunde han läxorna och fick alltid anmärkningar och handplagg. En dag anklagades han av en kamrat att ha infört ohyra i klassen. Han fick då en egen plats sig anvisad; han var utstött. Han grät bittert, så bittert. Därpå blev han borta. Johan skickades såsom ordningsman för tillfället att söka honom hemma. Det var i Dödgrävargränden han bodde. I ett rum bodde målarfamiljen med mormor och många små barn. Georg, gossen i fråga, satt med en liten syster i knät, som skrek förtvivlat. Mormodern hade en annan liten i sina armar. Far och mor var ute på arbete, var på sitt håll. I detta rum, som ingen hade tid att städa och som ej kunde städas, osade koksens svavelångor och småbarnens orenligheter, här torkades kläder, lagades mat, revs oljefärg, knådades kitt. Här låg alla motiven till Georgs immoralitet i dagen. Men, invände alltid någon moralist, man är aldrig så fattig att man inte kan hålla sig hel och ren. Så enfaldigt! Liksom icke sylön, (om man har något helt att sy på), tvål, klädtvätt, tid, kostade något! Att vara hel, ren och mätt är väl det högsta den fattige kan tänka sig komma till. Det kunde icke Georg och därför blev han utstött.

Nyare moralister har trott sig gjort den upptäckten, att underklassen är mera omoralisk än överklassen. Med omoralisk skulle denna gång menas att den icke höll sociala överenskommelser så bra som överklassen. Detta är ett misstag, om icke något värre. I alla de fall, där underklassen icke tvingas av nöd, är den plikttrognare än överklassen. Den är även barmhärtigare mot likar, mildare mot barnen och framför allt tåligare. Hur länge har den ej tålt att dess arbete begagnas av överklassen, innan den slutligen börjat bli otålig!

För övrigt har man alltid velat hålla morallagarna så svävande som möjligt. Varför bevaras de ej i skrift och tryck såsom den gudomliga och den borgerliga lagen? Kanske därför att en ärligt skriven morallag skulle nödgas upptaga även människans rättigheter.

*

Revolten mot läxorna tilltog nu hos Johan. Hemma läste han allt möjligt, men läxorna slarvade han igenom. Skolans förnämsta läroämnen var nu latin och grekiska. Undervisningsmetodern var absurd. Ett halvt år åtgick att explicera en fältherre i Cornelius. Läraren hade ett sätt att inveckla saken, som bestod i att eleven skulle "ta ut konstruktionsordningen". Men läraren förklarade aldrig vad detta skulle innebära. Det bestod nämligen i ett uppläsande av textens ord i en viss ordning, men i vilken, det sades aldrig. Den sammanföll icke med den svenska översättningen, och när gossen gjort några försök att fatta sammanhanget, men inte kom till klarhet, tog han sig för att tiga. Han blev halsstarrig, och när han ropades upp att explicera, teg han, även om han kunde läxan. Ty så snart han började läsa, haglade anmärkningar, på ordens tonvikt, på tempot, på rösten, på allt.

— Kan du inte, förstår du inte? ropade läraren utom sig.

Gossen teg och tittade föraktfullt på pedanten.

— Är du stum?

Han teg. Nu var han för gammal att få stryk, vilket dessutom började bortläggas. Och så fick han sitta där.

Han kunde översätta texten på svenska, men ej på det enda sätt läraren ville. Att läraren bara ville ha det på ett sätt tyckte gossen var fånigt. Han skulle ha stormat igenom hela Cornelius på ett par veckor, och detta avsiktliga, oresonliga krypande, när man kunde springa, deprimerade honom. Han såg ingen idé i det.

Samma fenomen vid lektionen i historia.

— Nå du, Johan, säger läraren ungefär, tala nu om vad du vet om Gustav den förste.

Gossen stiger upp från platsen, och så löper hans ostyriga tankar så här ungefär:

— Vad jag vet om Gustav den förste? Å! Det är mycket det. Men det visste jag i prima redan, (nu är han i qvarta), och det vet magistern också. Vad tjänar det till att rabbla opp det igen?

— Nåå, du? Är det allt vad du vet? Han hade inte sagt ett ord och kamraterna skrattar. Nu blir han ond. Han försöker att börja tala, men det stockar sig i halsen. Vad skall han börja med? Gustav var född på Lindholmen i Roslagen. Ja, men det visste ju han och magistern förut. Så fånigt att stå och jamsa om det där.

— Jaså, du kan inte din läxa, du vet ingenting alls om Gustav den förste.

Nu öppnar han munnen och säger kort och bestämt:

— Jo, det kan jag visst det!

— Jaså, du kan, varför svarar du inte då?

Han tyckte att magistern hade frågat så dumt och nu ville han inte svara. Han slog bort alla tankar på Gustav den förste och tänkte med våld bort på något annat, på kartorna på väggen, på lamporna i taket, och nu gjorde han sig döv.

— Sitt ner då, efter du inte kan din läxa, säger magistern. Han sätter sig ner och låter tankarna löpa ut, sedan han bestämt sig för att magistern ljugit.

Det låg i detta något av afasi, oförmåga eller ovilja att tala, och det följde honom långt fram i livet, tills reaktionen kom i form av pratsjuka, oförmåga att hålla mun, drift att tala ut allt vad tanken producerade. Naturvetenskaperna lockade honom, och de timmar då läraren visade skolbotanikens kolorerade figurer av örter och trädslag, då tyckte han det mörka rummet ljusnade; och när magistern läste ur Nilssons Fauna om djurens liv, så lyssnade han och lade på minnet. Men fadern såg att det gick dåligt med de andra läroämnena. Latinet i synnerhet. Men Johan skulle läsa latin och grekiska. Varför? Han var väl utsedd att gå den lärda vägen. Fadern anställde en undersökning. När han fick höra av latinläraren att denne ansåg sonen som idiot, måtte detta ha stuckit hans självkänsla, och han beslöt flytta gossen till ett privatläroverk med mera rationella metoder. Ja, han var så retad att han tillät sig den förtroligheten att berömma Johans förstånd och för första gången säga ont om hans lärare.

Emellertid hade denna beröring med de fattigare klasserna hos gossen alstrat en tydlig ovilja för de högre. I Jakobs skola var det en demokratisk anda, så till vida att jämnåriga alltid kände sig i nivå med varandra. Ingen drog sig för den andres sällskap på andra grunder än personlig antipati. I Klara var det kast- och bördsskillnad. I Jakob skulle förmögenhet kunnat göra en aristokrati, men det fanns inga förmögna. Och de ytterligt fattiga behandlades av kamraterna med deltagande utan nedlåtande, om ock den dekorerade inspektorn och de akademiskt bildade magistrarna visade motvilja för de elända.

Johan kände sig solidarisk och befryndad med kamraterna, sympatiserade med dem, men blev skygg för de högre. Han undvek de stora gatorna. Gick alltid den trista Holländargatan eller den fattiga Badstugatan. Men av kamraterna lärde han att missakta bönderna, som här hade sina kvarter. Det var stadsbo-aristokratism, som även det mest obetydliga stadsbarn, huru fattigt det än är, har insupit. Dessa kantiga figurer i gråa rockar, som skakade på mjölkkärror och hölass, behandlades som löjliga personer, underlägsna varelser, vilka saklöst besköts med snöbollar. Att åka bak på deras slädar ansågs som ett medfött privilegium. Att skrikande upplysa dem om att vagnshjulet gick omkring och få dem att titta på underverket var en stående kvickhet.

Men hur skulle barn, som icke såg annat än ett samhälle där allt var ordnat opp- och nervänt efter egentlig vikt, där det tyngsta låg nederst och det lättaste överst, kunna undgå att ta det som låg under för att vara det sämre? Aristokrater är vi alla. Det är visserligen delvis sant, men det är icke desto mindre illa, och vi borde söka lägga bort att vara det. Underklassen är emellertid mera verkligt demokratisk än överklassen, ty den vill icke stiga över, utan endast komma upp i nivån; därav dess påstådda begär att vilja höja sig. Underklassen ville helst ha jämvikt genom att sänka nivån och slippa den förtvivlade ansträngningen att "höja" sig. Det finnes aristokrater med namnet demokrater, som söker höja sig för att få öva tryck, men de är snart genomskådade. En sann demokrat vill hellre sänka det oberättigat upphöjda än "höja" sig. Detta kallas att dra ner till sin låga ståndpunkt. Uttrycket är korrekt, men har fått inskjutet en falsk, ful betydelse.

Samhället lyder Archimedes lag om vätskors jämvikt i kommunicerande rör. Båda ytorna strävar att komma i samma läge. Men jämvikt kan endast inträda genom att den högre ytan sänkes, varigenom samtidigt den lägre höjes. Det är dit det moderna samhällsarbetet strävar. Och det går dit! Säkert! Och sen blir det lugn.

*

Sedan numera intet kroppsarbete hemma kom ifråga, blev Johans liv uteslutande ett inre, overkligt tankeliv. Han läste hemma allt vad han kom över. Om onsdags- och lördagseftermiddagarna kunde man se elvaåringen i en nattrock och en rökmössa, som han fått av fadern, och med en lång tobakspipa i munnen, med fingren instuckna i öronen, sitta fördjupad över någon bok, helst en indianbok. Han hade redan läst fem olika Robinsöner och njutit otroligt av dem. Men i Campes bearbetning hade han såsom alla barn hoppat över moralerna. Varför hatar alla barn moraler? Är de omoraliska av naturen? Ja, svarar de nyare moralisterna, ty de är djur ännu och erkänner icke samhällsfördraget. Ja, men moralen uppträder också för barnet endast med plikter och inga rättigheter. Moralen är därför orättvis mot barnet, och barnet hatar orättvisan.

Han hade därjämte anlagt ett herbarium, en insektsamling och en mineralsamling, samt läste Liljeblads Flora, som han funnit i faderns bokskåp. Den boken tyckte han mer om än skolbotaniken, ty där stod en mängd små saker om växternas nytta, när den andra bara talade om ståndare och pistiller.

När bröderna med avsikt störde honom i läsningen, kunde han rusa upp och hota med slagsmål. Man sade då att han var förläst.

Banden med livets verkligheter löste han upp, och han levde ett skenliv i främmande länder, i sina tankar, och var missnöjd med den gråa, enformiga dagliga tillvaron och sin omgivning, som blev honom alltmer främmande. Men fadern ville icke släppa honom vill i fantasierna, utan han fick numera gå ärenden, såsom att hämta tidningar och avlämna post, vilket han ansåg som ingrepp i sina personliga rättigheter och alltid gjorde med missnöje.

*

Det talas nu för tiden så mycket om sanningen och tala sanning, som om detta vore en svår sak, som förtjänte beröm. Om man fråndrager berömmet, så är det icke utan att det har sina svårigheter att få reda på verkliga förhållandet, vilket ju skulle vara sanning i denna bemärkelse. En person är icke alltid den, som hans rykte anger, ja, en hel opinion kan vara falsk; bakom varje tanke lurar en passion, varje omdöme är kolorerat av ett tycke. Men konsten att skilja sakförhållandet från tycket är gränslöst svår, därför kunde sex tidningsreferenter på samma gång se sex olika färger på kejsarens kröningsrock. Nya tankar tas icke gärna emot av våra automatiska hjärnor, äldre personer tror bara sig själva, och obildade inbillar sig att de väl måtte kunna tro sin egna ögon, vilket de icke alltid borde lita på, då det finns så mycket synvillor.

I Johans hem dyrkades sanningen.

— Tala alltid sanning, hända vad som hända vill, upprepade fadern så ofta, och så berättade han en historia om sig själv. Huru han en gång lovat en kund avsända en vara på dagen. Han glömmer bort det, men måtte ha haft att tillgå ursäkter, ty när den ursinnige kunden kommer in på kontoret och överöser honom med skymford, svarar fadern med att ödmjukt bekänna sin glömska, anhålla om förlåtelse och förklara sig villig ersätta förlusten. Sens moral: kunden faller i förvåning, räcker sin hand och betygar sin aktning. (I parentes: köpmän måtte icke ha så höga fordringar på varandra!)

Nå! Fadern hade ett gott förstånd och som äldre man var han säker på sina slutledningar.

Johan, som aldrig kunde vara sysslolös, hade gjort en upptäckt: att man kunde fördriva tiden på den långa vägen till och från skolan och på samma gång bli rikare. Han hade en gång på den trottoarlösa Holländargatan hittat en järnmutter. Den tyckte han var rolig, ty den blev en bra slungsten på ett snöre. Därefter gick han alltid mitt på gatan och tog upp allt järn han såg. Som gatorna var illa lagda, och överdådigt körande icke var förbjudet, så misshandlades redskapen grymt. Därför kunde en uppmärksam vandrare vara säker på att varje dag hitta ett par söm, en sprint och minst en mutter, stundom en hästsko. Johan tyckte mest om muttrarna, och tog dem till sin specialitet. På ett par månader hade han samlat väl en halv kappe.

En kväll sitter han och leker med dem när fadern kommer in i rummet.

— Vad har du där? säger fadern och gör stora ögon.

— Det är muttrar, svarar Johan säkert.

— Var har du fått dem ifrån?

— Jag har hittat dem.

— Hittat dem? Var?

— På gatan.

— På ett ställe?

— Nej, på många. Man går mitt på gatan och tittar ner, säger han.

— Nej, hör du, det går inte i mig. Det där ljuger du. Kom in, får jag tala med dig.

Talet hölls med en rotting.

— Vill du nu bekänna!

— Jag har hittat dem på gatan.

Han pryglas, tills han "bekänner".

Vad skulle han bekänna? Smärtan och fruktan att inte få slut på uppträdet avtvang honom följande lögn:

— Han hade stulit dem.

— Var?

Nu visste han inte var en mutter satt på en kärra, men han gissade att de satt inunder.

— Inunder kärror — alltså.

— Var?

Fantasien framkallade en plats där det stod många kärror.

— Vid byggeraget mitt emot Smedsgårdsgränd.

Den där specificeringen av gränden gjorde saken sannolik. Den gamle trodde sig nu säkert ha tagit sanningen ur honom. Och så följde reflexionerna:

— Hur kunde du ta bort dem med bara fingrarna?

Det hade han inte drömt om. Jo, nu såg hans faderns verktygslåda för sig:

— Med en skruvmejsel.

66

Nu kan man inte ta muttrar med skruvmejsel, men faderns fantasi var i rörelse och han lät lura sig.

— Men det är ju förfärligt! Du är ju en tjuv! o.s.v. Tänk om polisen hade kommit.

Johan tänkte ett ögonblick lugna honom med att det var lögn alltsammans, men utsikten att få mera stryk och bli utan kvällsvard avhöll honom.

Om aftonen när han lagt sig och modern kom in och bad honom läsa sin aftonbön, sade han patetiskt och med lyftad hand:

— Jag har ta mig fan inte stulit några muttrar.

Modern såg på honom länge, och så sade hon:

— Du ska inte svära så!

Kroppsstraffet hade förödmjukat honom, kränkt honom, han var ond på gud, föräldrar, och mest på bröderna, som inte vittnat för hans sak, oaktat de kände förloppet. Han gjorde ingen bön den kvällen, men han önskade att det blivit eldsvåda, utan att han behövt tända på. Och så tjuv till!

Sedan dess var han misstänkt eller rättare hans dåliga rykte stadgat, och han pikerades länge med erinran om den stöld han aldrig begått.

En annan gång gjorde han sig själv skyldig till lögn, men genom en inadvertens, som han inte kunde förklara på länge. (Anbefalles föräldrar till begrundande.) En skolkamrat med syster kommer en söndagsmorgon på våren hem till honom och frågar om han vill gå med till Haga. Ja, det vill han, men han skall fråga mamma om lov först. (Pappa var borta.)

— Skynda dig då!

— Ja, men han skall visa sitt herbarium först.

— Ska vi gå nu?

— Ja, men jag ska bara in till mamma först.

Men då kommer en liten bror in och tar hans herbarium.

Ofoget avstyres, men nu ska de se hans mineralier också.

Under tiden skall han byta blus. Därpå tar han en liten bit bröd i skänken. Modern passerar och hälsar kamraterna; de talar om ett och annat från hemmet. Johan har bråtт, lägger in sakerna och för sina vänner ut i trädgården att se på groddammen. Äntligen går man till Haga. Han lugn i den fulla tron att han begärt lov av modern.

Så kommer fadern hem.

— Var har du varit?

— Jag har varit i Haga med vännerna.

— Hade du lov av mamma?

— Jaa!

Modern protesterar. Johan blir stum av häpnad.

— Jaså, du far med lögn.

Han var svarslös. Men han var så viss på att han bett modern om lov, så mycket mer som intet avslag var att befara. Han hade så fast beslutat att göra det, men biomständigheter hade gått emellan, han hade glömt det och han ville dö på att han icke ljög.

Barn är i allmänhet för rädda att ljuga, men deras minne är kort, intrycken växlar så hastigt, och de förblandar önskningar och beslut med verkställda handlingar.

Emellertid levde gossen länge i den tron att modern ljugit. När han sedan reflekterat många gånger över fenomenet, trodde han att hon glömt saken eller inte hört hans anhållan. Långt, långt senare började han misstänka att möjligen hans minne svikit honom. Men han var berömd för gott minne, och det gällde ju bara två, tre timmars mellantid.

Hans misstankar om moderns sannfärdighet (och varför skulle hon inte ha kunnat säga en osanning, då kvinnor ju så lätt förväxlar sina hallucinationer med verkligheter?), stärktes en kort tid efteråt. Familjen hade köpt en möbel: ett stort evenemang! Gossarna skulle just gå på visit till faster. Modern ville gömma på nyheten och överraska fastern vid hennes nästa besök. Därför bad hon barnen icke tala om evenemanget.

De kom till faster. Hon frågar strax: har mamma köpt den gula möbeln än?

Bröderna tiger men Johan svarar glatt: nej.

Efter hemkomsten vid middagsbordet frågar modern:

— Nåå, frågade faster om möbeln?
— Ja!
— Vad svarade ni?
— Jag sa nej, jag! säger Johan.
— Jaså, du hade kurage att ljuga du, hugger fadern in.
— Ja, mamma sa det, svarar gossen.

Modern bleknar och fadern blir tyst.

Det var ju oskyldigt i det hela, men det var icke så betydelselöst i sitt sammanhang. Svaga tvivel om "andras" sanningskärlek vaknade hos barnet och öppnade nu ett nytt belägringstillstånd av motkritik.

Kölden mot fadern tilltar, och nu spanar han efter förtryck och gör oaktat sin svaghet små försök till uppror.

Barnen kommenderas till kyrkan varje söndag, och familjen hade bänknyckel. Den orimligt långa gudstjänsten och de obegripliga predikningarna upphörde snart att göra intryck. Innan värmeledning ännu var införd, utgjorde det en fullständig tortyr att om vintern sitta två timmar i en bänk och frysa om fötterna, men man skulle dit ändock, om för själens hälsa, ordningens skull, eller för att lämna hemmet i ro, vem vet. Fadern var själv ett slags teist. Han läste hellre Wallins predikningar än han gick i kyrkan. Modern började i stället luta åt pietismen. Hon sprang efter Olin och Elmblad och Rosenius, och hade väninnor, som bar hem Pietisten och Andlig Duvoröst. Duvorösten undersöktes av Johan och befanns innehålla roliga historier om missionärer i Kina och beskrivningar på skeppsbrott. Pietisten fick ligga. Det var bara dekokt på epistlarna i nya testamentet.

En söndag får Johan det infallet, kanske efter någon oförsiktig bibelförklaring i skolan, där det talats om andarnas frihet eller dylikt, att han icke skall gå i kyrkan. Han blir hemma helt enkelt. Om middagen innan far kommer hem, förklarar han inför syskon och tanter, att ingen kan tvinga en annans samvete och därför gick han inte i kyrkan. Nu ansågs han vara besynnerlig, och därför slapp han stryk den gången, men sedan skickades han i kyrkan.

*

Familjens umgänge kunde utom med släkten icke vara stort, på grund av äktenskapets felaktiga form. Men olyckskamrater söker varann, och umgänge hade underhållits med en av faderns ungdomsvänner, som begått en mesallians med sin älskarinna och därför förskjutits av föräldrar och kamrater. Denne var jurist och ämbetsman. Hos honom träffades en tredje, också ämbetsmannafamilj, med samma äktenskapsöde. Barnen visste naturligtvis icke av den tragedi som här utspelades. Alla familjerna hade barn, men Johan kände sig inte dragen till dem. Hans blyghet och mänskofruktan hade efter tortyrhistorierna i hemmet och skolan tilltagit, och utflyttningen i stadens utkanter jämte sommarvistelserna på landet hade förvildat honom. Han ville icke lära dansa, och han tyckte pojkarna var fåniga, som kråmade sig så där för flickorna. När modern vid ett tillfälle uppmanade honom vara artig mot flickorna, frågade han varför? — Han hade nu blivit kritisk på allt och ville veta varför? —

På en utflykt i det gröna sökte han förmå gossarna till myteri, då de bar flickornas schalar och parasoller.

— Varför ska vi vara betjänter åt de där ungarna? sade han, men gossarna hörde inte på honom.

Slutligen blev han så led vid att gå bort att han gjorde sig sjuk eller gick och vätte ner kläderna i dammen, för att som straff få vara hemma. Han var inte barn längre och därför trivdes han ej med de andra barnen, men de äldre såg i honom endast ett barn. Han gick nu ensam.

*

Vid tolv års ålder sändes han en sommar ut till en ny klockargård invid Mariefred. Där var många inackorderingar, alla av så kallad oäkta börd. Som klockaren icke hade några större kunskaper räckte ej hans vetande till att höra Johans läxor. Vid första försöket i geometri fann läraren att Johan var så skicklig att han bäst studerade själv. Nu var han kaxe. Han studerade själv. Klockargården låg invid herrgårdens park, och i dess kungliga omgivningar promenerade han, fri från arbete, fri från uppsikt. Vingarna växte och manbarheten nalkades.

Genom förvärvad och kanske naturlig blygsel har man så länge hållit den viktiga frågan om manbarhetens inträdande och därmed sammanhängande fenomen i det fördolda. Dåliga böcker, spekulanter i medicinböcker, och pietister, som till vad pris som helst velat göra propaganda, räddhågade och okunniga föräldrar, har alla, och många i god avsikt, gjort allt för att skrämma unga syndare från odygdens väg. Senare och upplystare undersökningar av kunniga läkare har åter tagit till uppgift att utröna fenomenets orsaker och förnuftiga botemedel, samt framför allt borttaga barnets uppdrivna fruktan för följderna, emedan det visat sig att skrämseln och de uppjagade samvetskvalen just varit orsaken till de jämförelsevis få fall av vansinne och självmord man har antecknat. Vidare har man upptäckt, att det icke var odygden själv, utan den otillfredsställda driften, som framkallat sjukdomsfenomenen, och en ny fransk läkare har gått så långt, att han till och med anser handlingen vara ett icke skadligt underhjälpande av naturen. Detta må han stå för. Faktiskt är emellertid det, att man konstant skall finna de sinnessjuka behäftade med ovanan. Men felslutet ligger i att man förväxlar orsak och verkan.

Sinnessjuka instänges; vad skall de ta sig till?

Hos sinnessjuka har med själslivets slocknande det vegetativa och animala livet tagit överhand, och därför bryter driften ut, ohejdat sökande sin tillfredsställelse hur den kan. Ett annat felslut: varje sinnessjuk utforskas om han förr burit hand på sin kropp. Alla sinnessjuka har det, men därför är icke detta orsaken till sjukdomen, ty nu är det uppdagat, att troligen alla människor har någon gång burit hand på sin kropp. Men detta hålles hemligt, och därför går en hop unga syndare och tror sig vara ensamma om det inbillade brottet, och de tror att de stränga lärarna som sedan skrämmer dem, har levat oskyldiga. Nu kan å andra sidan icke nekas att överdrift i detta fall kan följas av sjukdomar, men då är det överdriften, som vållat det; och den fortsatta vanan, som gjorde att det naturliga sättet icke kom till sin rätt, vållade olägenheter just därigenom. Att ovilja mot könet skulle bli en följd är ej sant, ty odygdiga pojkar har sedan blivit duktiga fruntimmerskarlar, bra makar och lyckliga fäder. Eget är också att fruntimren icke visar sig gunstiga mot oskulder.

Hur gick det nu till? På vanligaste sättet. En äldre kamrat föregick vid badning med exemplet och de yngre följde. Någon känsla av skam eller synd märktes ej, och ingen gjorde hemlighet av det. Hela saken tycktes knappast ha sammanhang med det högre köns-livet, ty kär i en flicka hade gossen varit vid åtta års ålder, då driften ännu sov fullständigt.

Samtidigt fick han även kunskap om att skolbarnen i byn plägade umgänge i skogen, när de gick från skolan. Dessa barn var åtta à nio år, och föräldrarna fick nys om saken, men lade sig icke i den. Detta förhållande eller missförhållande lär vara regel på landsbygden och borde tagas i betraktande då man skriver så tvärsäkert om lasten och uppmaningar till lasten.

Någon vändpunkt i gossens själsliv bildade inte denna tilldragelse, ty grubblare var han född, och till ensling gjorde honom hans nya tankar. För övrigt lade han snart bort odygden, när han fick en skrämbok i handen, men då inträdde i dess ställe en kamp mot begären, dem han ej mäktade besegra, emedan de överföll honom i form av gyckelbilder under drömmen, där hans kraft var slut, och sömnen fick han ej njuta lugn förr än han vid aderton års ålder öppnade umgänge med andra könet.

Fram på sommaren blev han kär i inspektorens dotter, en tjugoåring, som icke umgicks i klockargården. Han kom aldrig att tala till henne; men spanade ut hennes vägar och kom ofta i närheten av hennes bostad. Det hela var en stilla dyrkan på avstånd av hennes skönhet, utan några begär, utan något hopp. Tycket liknade snarare en stilla sorg och skulle kanske lika väl fallit på någon annan, om där funnits umgängen med flickor. Det var en madonnadyrkan, som intet åtrådde, utom att få ge något stort offer, helst en dränkning i fjärden, men ändå i hennes åsyn, ett dunkelt förnimmande av egen otillräcklighet som en halv människa, som icke ville leva utan att ha kompletterats med den andra, "bättre" hälften.

Kyrktjänsten fortfor och gjorde numera icke vidare intryck. Det var tråkigt bara.

Denna sommar var emellertid ganska viktig i hans utveckling, emedan den lösryckte honom från hemmet. Ingen av bröderna var med. Han hade sålunda icke vidare någon förmedlande blodslänk med modern. Detta gjorde honom mera avslutad, och kallhärdade nerverna, dock icke genast, ty vid tillfällen av ledsnad grep honom hemlängtan med hårda klor. Modern steg då upp i den vanliga förklarade dagern av skydd och huld, värmekällan, den vårdande handen.

På hösten, i början av augusti, kom brev med underrättelse att den äldre brodern Gustav skulle resa till Paris att i en pension fullborda sina studier för affärslivet och lära sig språket, men dessförinnan skulle han tillbringa en månad på landet och där avlösa brodern. Tanken på den stundande skilsmässan, glorian från den stora, lysande staden, minnet av många glada bragder, längtan efter hemmet, glädjen att få återse en av blodet, allt förenade sig nu att sätta Johans känslor och fantasi i rörelse. Under den vecka han väntade brodern diktade han om honom till en vän, en överlägsen man, som han såg upp till. Och Gustav var honom överlägsen som människa. Han var en modig, frank yngling, två år äldre än Johan, med mörka, starka drag; grubblade inte, hade ett handlingslustigt temperament; var klok; kunde tiga när det behövdes och hugga till när så erfordrades. Förstod ekonomi och sparde. Han var för klok, tyckte den drömmande Johan. Läxorna kunde han ej, ty han ringaktade dem, men han förstod livets konst: föll undan när så behövdes, skred in när så skulle vara och var aldrig ledsen.

Johan hade nu ett behov att dyrka, att i en annan materie än sin svaga lera knåda upp en bild, däri han kunde lägga in sina vackra önskningar, och nu övade han sin konst i åtta dagar. Han gick och förberedde broderns ankomst genom att fördelaktigt utmåla honom för alla sina vänner, rekommendera honom hos läraren, utse lekställen med små överraskningar, arrangera en trampolin vid badstället, och så vidare.

Dagen före ankomsten gick han till skogen och plockade hjortron och blåbär, som han skulle fägna gästen med. Därpå dukade han ett bord med vita pappersark. På dem lade han ut bären, ett gult och ett blått, och mitt i ordnade han dem i form av ett stort G. Det hela omgavs med blommor.

Brodern kom; kastade en hastig blick på anordningen, åt, men observerade icke finessen med namnchiffret eller tyckte han det var pjoskigt. I familjen ansågs nämligen allt utbrott av känsla vara pjosk.

Därpå badade man. När Gustav tagit av skjortan, låg han nästa ögonblick i vattnet och tog genast en sträcksimning ut till moringen. Johan beundrade, skulle gärna ha följt, men denna gång tyckte han det var roligare att vara sämre och låta brodern behålla glansen. Det var den första pojke som simmat till moringen. Vid middagsbordet lämnade Gustav en fet skinkbit på tallriken. Det hade ingen vågat förr. Han vågade allt. När man på aftonen klämtade, skulle Johan bjuda Gustav på att klämta. Han klämtade minst tio slag. Johan fasade som om socknens öden hade varit utsatta för fara och ömsom skrattade och ömsom bad att han skulle hålla opp.

— Ä, vad fan gör det, sa Gustav.

Så bjöd han honom på sin vän, snickarens vuxne pojke, kanske en femtonåring. Det uppstod genast intimitet mellan de jämnåriga, och vännen övergav Johan, som var för liten. Men Johan kände ingen bitterhet, fastän de två stora drev med honom och företog ensamma utflykter med bössa. Han ville ge bara; och han skulle ha givit sin älskarinna, om han ägt någon. Ja, han gav också anvisning på inspektorens dotter, vilken brodern mycket riktigt fann behag i. Men i stället för att sucka bakom trädstammarna, gick han fram och pratade vid henne, i all oskuld likväl. Detta var den djärvaste handling Johan sett i sitt liv utföras, och han kände sig själv liksom ha vuxit. Han förstorade sig, hans svaga själ liksom handlade genom broderns starka nerver, och han identifierade sig med honom. Han var lika så lycklig som om han själv tilltalat flickan. Han gav idéer till exkursioner, upptåg, roddturer, och brodern satte dem i verket. Han upptäckte fågelbon och brodern äntrade trädet och plundrade dem.

Men detta räckte endast en vecka. Sista dagen, när avresan skulle ske, sade Johan åt Gustav:

— Vi ska köpa mamma en vacker blombukett.

— Ja vars.

Och så gick de till trädgårdsmästaren på herrgården. Gustav beställde, men det skulle vara fint. Under bindningen gick han och åt bär i trädgården helt öppet. Johan vågade icke röra något.

— Ät du, sa brodern.

Nej, han kunde inte. När buketten var färdig tog Johan upp och betalade den med tjugofyra skilling. Gustav gav intet tecken ifrån sig. Så skildes de.

Vid hemkomsten överlämnade Johan buketten från Gustav.

Modern blev rörd. Vid kvällsbordet väckte blommorna faderns uppmärksamhet.

— Dem har Gustav skickat mig, sade modern. Han är alltid bra snäll, och Johan fick en sorgsen blick, ty han var så hård. Faderns ögon glimmade till under glasögonen.

Johan kände ingen bitterhet. Ynglingens svärmiska offerlusta hade slagit ut, kampen mot orättvisor hade gjort honom till självplågare, och han teg. Han teg även, när fadern skickade Gustav en handkassa, och i ovanligt rörda ordalag förklarade huru djupt han känt detta fina drag av hans goda hjärta. Han teg hela livet igenom med den historien, även när han hade fått anledningar att känna bitterhet, och han talade slutligen först, övermannad, fallen och trampad i arenans smutsiga sand med en grov fot på bröstet och utan att se en hand lyftas för att vifta: nåd. Det var då icke hämnd, bara den döendes självförsvar!

5. Med överklassen

Privatläroverket hade uppstått såsom en opposition mot de offentliga läroverkens skräckregering. Som dess tillvaro berodde på lärjungarnas bevågenhet, hade man beviljat stora friheter och infört en ytterst human anda. Kroppsstraff var förbjudna, och lärjungarna var vana att få yttra sig, interpellera, försvara sig mot anklagelser, med ett ord, de behandlades som tänkande varelser. Här kände Johan först att han hade mänskliga rättigheter. Om läraren misstagit sig i en faktisk uppgift, var det inte lönt att bara gå på och hålla på sin auktoritet; han korrigerades och lynchades okroppsligen av klassen, som överbevisade honom om hans misstag. Rationella metoder var även införda i undervisningen. Litet läxor. Kursiva explikationer i språken gav lärjungarna ett begrepp om meningen med den undervisningen, nämligen att kunna översätta. Därtill hade man anställda infödda för de levande språken, så att örat vande sig vid en riktig accent och något begrepp om språkets talande inhämtades.

Hit hade nu en mängd ungdom flytt från statens läroverk, och Johan träffade här många gamla kamrater från Klara. Men han återfann även lärare från både Klara och Jakob. Dessa gjorde en helt annan uppsyn här och antog ett annat sätt. Han förstod nu att de varit i samma fördömelse som deras offer, ty de hade haft rektor och skolråd över sig. Äntligen tycktes då trycket

79

uppifrån börja minskas, hans vilja och tankar få frihet, och han förnam en känsla av lycka och välbefinnande. I hemmet berömde han skolan, tackade föräldrarna för befrielsen och förklarade att han aldrig hade så roligt som i skolan. Han glömde gamla orättvisor, blev mera mjuk i sitt väsen och mera frimodig. Modern började beundra hans lärdom. Han läste fem språk utom modersmålet och hade bara ett år kvar till gymnasieavdelningen. Äldsta bror var nu ute i världen på ett kontor, den andre brodern var i Paris. Johan liksom flyttades upp i en högre åldersklass i hemmet och stiftade personlig bekantskap med modern. Han talade om för henne ur böckerna om naturen och historien och hon, som aldrig fått kunskaper, lyssnade med andakt. Men när hon hört på en lång stund, antingen hon nu behövde höja sig eller verkligen fruktade världens visdom, drog hon fram med den enda kunskapen, som kunde göra mänskan lycklig. Hon talade om Kristus; Johan kände väl igen det där talet, men modern förstod att rikta det till honom personligen. Han skulle akta sig för andligt högmod och alltid förbliva enfaldig. Gossen förstod icke ordet enfaldig, och talet om Jesus liknade icke bibelns. Det var något osunt i hennes åskådning, och han tyckte sig märka den obildades motvilja mot bildning. Varför denna långa skolkurs, frågade han sig, när den ändock ansågs vara intet i jämförelse med dessa dunkla läror utan sammanhang om Jesu dyra blod? Han visste också att modern hämtade detta språk ur samtal med ammor, syjungfrur och gamla madammer, som gick i sirapskyrkan. Underligt, tyckte han, att dessa just skulle ha hand om den allra högsta visheten, som varken prästen i kyrkan eller läraren i skolan hade aning om. Han började finna att dessa ödmjuka var bra nog andligen högfärdiga och att vägen till visdom genom Jesus var en påhittad ginväg. Kom därtill att han bland skolkamrater numera hade grevar och baroner, och när namn på -hjälm eller -svärd började höras i hans skolhistorier, fick han varningar för högfärd.

Var han högfärdig? Troligen! I skolan sökte han aldrig de förnäma. Han såg på dem hellre än på de borgerliga, ty de tilltalade hans skönhetssinne genom sina vackra kläder, fina ansikten, lysande briljantnålar. Han kände att de var annan ras, ägde en ställning, dit han aldrig kunde komma, dit han ej strävade, ty han vågade icke fordra av livet. Men när en dag en baron anmodade honom om hjälp i en läxa, kände han sig åtminstone vara lika god som denne eller över honom i ett fall. Han hade därmed upptäckt att det fanns något som kunde sätta honom i jämnbredd med de högsta i samhället, och vilket han kunde förskaffa sig: det var kunskaper.

Det rådde vid detta läroverk just genom dess liberala anda en demokrati, som han icke märkt i Klara; grevar och baroner, de flesta lata, hade icke något försteg före de andra. Rektor, själv en bondpojke från Småland, var alldeles renons på vördnad för börd, lika litet som han hyste någon fördom mot de adliga eller särskilt ville stuka dem. Han duade alla, stora och små, var lika förtrolig mot alla, studerade var individ, kallade dem i förnamn och var intresserad för ungdomen.

Genom dagligt umgänge mellan borgarbarn och adelsbarn avnöttes respekten. Krypare fanns endast högre upp på gymnasieavdelningen, där vuxna adelssöner kom upp i ridspö och sporrar, under det en gardist höll handhästen utanför porten. Dessa ynglingar söktes av de kloka, som redan inblickat i livets konst, men längre än till kaféet eller ungkarlsrummet gick icke vägen.

Om höstarna återkom en del av de förnäma ynglingarna från expeditioner som extra sjökadetter. De uppträdde då i klassen i uniform med stickert. De beundrades mycket, avundades av många, men Johans slavblod var aldrig förmätet i den vägen: han erkände privilegiet, drömde sig aldrig dit, hade en känsla av att där skulle han bli mera förödmjukad än här, och därför ville han inte dit. Men att komma i nivå med dem på andra vägar, genom meriter, arbete, det drömde han djärvt om. Och när samtidigt på våren utexaminerade studenter kom upp i klassen att ta avsked av lärarna, då han såg deras vita mössa, deras lediga sätt, deras franka miner, då längtade han sig i deras ställning, ty han märkte huru även sjökadetterna tittade med beundran på den vita mössan.

*

I familjen hade ett visst välstånd inträtt. Man hade åter flyttat till Norrtullsgatan. Där var gladare än vid Sabbatsberg, och värdens gossar var skolkamrater. Trädgården hade fadern icke mera, och Johan sysslade nu mest med böckerna. Han förde en förmögen ynglings liv. Huset var glatt, uppvuxna kusiner och kontorets många bokhållare besökte det om söndagarna, och Johan upptogs i deras umgänge oaktat sina unga år. Han gick nu i jacka, vårdade sitt yttre och såsom gymnasistförhoppning åtnjöt han ett högre anseende än åren medförde. I trädgården promenerade han, och varken bärbuskar eller äppelträd frestade honom synnerligen.

Då och då kom brev från bror i Paris. De lästes högt och med stor andakt. De lästes för släktingar och bekanta, och det var familjens trumf. Till julen anlände fotografiporträtt av brodern i fransysk collégien-uniform. Det var trumfess. Johan hade nu en bror, som bar uniform och talade franska. Han visade porträttet i skolan och vann socialt anseende. Sjökadetterna grinade emot och sade att det inte var någon riktig uniform, för det fanns ingen stickert. Men det fanns kepi och blanka knappar och något guld på kragen.

I hemmet visades stereoskopbilder från Paris, och man levde numera i Paris. Tuilerierna och triumfbågen var bekanta som slottet och Gustav Adolfs staty. Det syntes som om talesättet, att fadern lever i sina barn, verkligen ägde något skäl för sig.

Livet låg nu ljust för ynglingen; pressen hade minskats, han andades lättare och skulle troligen gått en lätt banad väg genom livet, om icke omständigheterna länkat sig så att han fick back i seglen.

Modern hade länge varit svag efter sina tolv barnsängar. Nu måste hon intaga sängen och gick endast då och då uppe. Hennes lynne blev häftigare, och vid motsägelser steg röda flammor upp på kinden. Vid sista julen hade hon råkat i en våldsam disput med sin bror om läsarpräster. Denne hade vid julbordet framhållit Fredmans epistlars djupsinnighet och till och med satt dem i tankedigerhet långt över läsarprästernas predikningar. Det tog eld i modern och hon föll i hysteri. Detta var blott ett symptom.

Nu började hon, medan hon ännu var uppe, att rusta barnens linne och kläder och städa lådor. Hon talade ofta med Johan om religion och andra höga frågor. En dag visade hon honom några guldringar.

— Dem skall ni få när mamma dör, sade hon.

— Vilken är min? frågade Johan, utan att fästa sig vid tanken på döden. Hon visade en flätad flickring med ett hjärta på. Den gjorde ett starkt intryck på gossen, som aldrig ägt någon sak av guld, och han tänkte ofta på den ringen.

I huset kom en mamsell för barnen. Hon var ung, såg bra ut, talade litet och hade ibland ett kritiskt leende. Hon hade varit hos en greve på Stora Trädgårdsgatan och tyckte troligen hon hade kommit ner i ett tarvligt hus. Hon skulle övervaka barnen och pigorna, men med dessa umgicks hon nästan förtroligt. Det var nu tre pigor, en husmamsell, en dräng och en dalkulla i huset. Pigorna hade fästmän och det levdes lustigt i det stora köket, som sken ståtligt med sin koppar och tenn. Där åts och dracks, och gossarna blev bjudna med. De kallades för herre av fästmännen och man drack deras skål. Husdrängen var dock aldrig med: han tyckte det var "svinaktigt" att leva så, för att frun var sjuk. Huset föreföll statt i upplösning, och fadern stod svåra duster med tjänarna sedan modern låg till sängs. Men modern blev pigornas vän i döden. Hon gav dem rätt av instinkt. Och de missbrukade hennes partiskhet. Det var strängt förbjudet att utsätta den sjuka för sinnesrörelser, men tjänarna intrigerade mot varandra och säkerligen mot patronen också. En dag hade Johan smält bly i en silversked. Köksan skvallrade för modern; denna blev häftig och sade till fadern. Men fadern blev bara retad på angiverskan. Han gick till Johan och sade hyggligt, som om han behövde beklaga sig:

— Du ska inte smälta bly i silverskedar. Jag bryr mig inte om sken, den kan lagas, men den satans Fredrika har gjort mamma ledsen. Visa inte pigorna sånt där, om du gör något dumt, utan säg åt mig, ska vi ställa det till rätta!

De var vänner, fadern och han, för första gången, och han älskade fadern nu, när han steg ner till honom.

En natt väcktes han i sömnen av faderns röst. Han spritter upp. Det är mörkt i rummet. I mörkret hör han rösten, som djup och darrande säger: vill gossarna komma in till mammas dödsbädd! Nu slog det ner som ett åskslag över honom. Han frös så att lemmarna smällde mot varandra, medan han drog på kläderna, huvudsvålen isades, ögonen stod vidöppna och rann så att ljuslågan syntes som en röd bläddra.

Och så stod de vid sjukbädden. De grät en timme, grät två, tre. Natten kröp fram. Modern var sanslös och kände icke igen någon. Dödsarbetet hade börjat med rosslingar och nödrop. Småbarnen väcktes ej. Johan satt och tänkte över allt ont han gjort. Icke en moträkning mot orättvisorna kom före. Efter tre timmar upphörde tårarna. Tankarna rände hit och dit. Döden var slutet. Hur skulle det bli, när mamma inte fanns mer? Ödsligt, tomt. Ingen tröst, ingen ersättning. Det var bara ett tjockt mörker av olycka. Han spanade efter en enda ljuspunkt. Ögat faller på moderns byrå, där Linné sitter i gips med en blomma i handen. Där låg en enda fördel, som denna bottenlösa olycka skulle medföra: han skulle få ringen. Han såg den på sin hand.

— Det är ett minne av min mor, skulle han kunna säga, och han skulle gråta vid minnet, men han kunde inte underlåta att tycka, det var fint med en guldring.

— Fy! Vem tänkte den låga tanken vid moderns dödsbädd? En sömndrucken hjärna, ett förgråtet barn.

Nej bevars, en arvtagare. Var han girigare än andra, hade han anlag för snålhet? Nej, då skulle han aldrig talat om historien, ty den var djupt begraven hos honom; men han mindes den hela livet; den dök upp då och då, och när den kom fram, i sömnlös natt, i trötthetens sysslolösa stunder, så kände han rodnaden hetta vid öronen. Då anställde han betraktelser över sig själv och sitt uppförande och straffade sig som den lägsta av alla människor. Först när han blev äldre och lärde känna ett stort antal människor och tankeapparatens mekanik, kom han på den idén att hjärnan är ett underligt ting, som går sina egna vägar, och mänskorna är nog sig lika även i det dubbelliv de för: det som syns och det som icke syns, det som talas och det som tänkes tyst.

Men vid denna tidpunkt fann han bara att han var dålig, och när han kom in på pietismen, där det talades om kampen mot onda tankar, insåg han att han hade mycket onda tankar. Varifrån de kom? Från arvsynden och djävulen, svarade pietisterna. Ja, det var han med om, ty han ville inte vara ansvarig för en så ful tanke, men han kunde likafullt icke komma ifrån att tro sig ansvarig, ty han kände icke läran om determinismen eller viljans ofrihet. Den lärans förkunnare skulle ha sagt: en sund tanke hos dig, min gosse, att söka minsta möjliga onda av ett ont; en tanke som alla arvtagare, stora eller små, har tänkt, och, märk väl, måste ha tänkt, efter alla lagar för tänkandet. Kristendomens självförnekelsemoral med pelarhelgonsidealet i luften kallar de tankar onda, som går ut på självbevarelse, men detta är osunt, ty individens första, heligaste plikt är att skydda sitt själv, så vitt möjligt utan att skada andras.

Men hela hans uppfostran var ju enligt tidens låga föreställningssätt inrättad med fästat avseende på himlen och helvetet. Somliga handlingar ansågs onda, andra goda. De förra skulle straffas, de senare belönas. Sålunda ansågs det som en dygd att starkt sörja en mor, oavsett denna moders uppförande mot barnet. En sådan tillfällighet i skapnaden som känslornas långvarighet ansågs som en dygd. De som icke hade så beskaffade känslor var mindre dygdiga. De olyckliga, som märkte denna brist hos sig, ville göra om sig, göra sig bättre. Därav hyckleri, falskhet mot sig själv. Nu har man kommit därhän, att känslosamhet är upptäckt vara en svaghet, som i äldre stadier skulle ha stämplats som last.

Franska språket bibehåller ännu samma ord *vice* för lyte och last. Övervikt i känsla och fantasi, som döljer sanningen, anses numera tillhöra lägre utvecklingsstadier: vildens, barnets, kvinnans, och är på väg att läggas igen såsom genom överodling utsugna marker, och det rena tänkandets tidevarv står för dörren.

Ynglingen var en kvadron av romantik, pietism, realism och naturalism. Därför blev han aldrig annat än ett lappverk.

Johan tänkte visst inte bara på den fattiga prydnaden; det hela var ett ögonblicks förströelse, två minuter av långa månaders sorg, och när det slutligen blev tyst i rummet och fadern sade: mamma är död, då var det tröstlöst. Han skrek som en drunknande. Hur kan döden vara så bottenlöst förtvivlad för dem, som tror på ett återseende? Det måtte allt vara illa beställt med tron i dessa ögonblick, när förintelsen av personligheten försiggår med orubblig konsekvens inför ens ögon.

Fadern, som eljes hade isländarens yttre känslolöshet, var nu mjuk. Han tog de två sönernas händer och sade:

— Gud har hemsökt oss; nu skall vi hålla tillsammans som vänner. Människorna går i sin självtillräcklighet och tror sig nog, så kommer slaget, och man ser hur man behöver varann alla. Låt oss vara uppriktiga mot varandra och överseende.

Gossens sorg tog av i ett ögonblick. Han hade fått en vän, och en mäktig, klok, manlig vän, som han beundrade.

Huset kläddes nu med vita lakan för fönstren.

— Du behöver inte gå i skolan, om du inte vill, sa fadern.

Om du inte vill! Det var ett erkännande av hans vilja.

Så kom tanter, släktingar, kusiner, ammor, gamla tjänare, och de sade alla välsignelse över den döda. Alla räckte händer till hjälp att sy sorgkläder: där fanns fyra små barn och tre stora. Där satt unga flickor och sydde i den sjuka dagern, som föll genom de vita lakanen, och de talade halvhögt. Det var mystiskt, och sorgen fick ett helt följe av ovanliga förnimmelser. Aldrig hade gossen varit föremål för så mycket deltagande, och aldrig hade han känt så många varma händer, hört så många vänliga ord.

Om söndagen läste fadern en predikan av Wallin över texten: Vår vän är icke död, men han sover. Med vilken oerhörd förtröstan tog han icke dessa ord bokstavligen och hur visste han icke att riva upp såren och på samma gång läka dem! Hon är icke död, men hon sover, upprepade han glatt. Modern sov nog därinne i det kalla förmaket, och ingen väntade väl att se henne vakna.

Det led mot begravningen. Gravplats var köpt. Svägerskan satt med och sydde. Hon sydde och sydde, den gamla modern till sju medellösa barn, den förr rika borgarmodern, sydde åt barnen i det äktenskap, som brodern förbannat. Så steg hon upp och bad att få tala vid sin svåger. Hon viskar med honom i ett hörn av salen. De båda gamla faller i varandras armar och gråter. Fadern tillkännager att modern skall få begravas i farbrors grav. Farbrors grav var ett mycket beundrat monument på Nya kyrkogården, som bestod av en järnkolonn med en urna på. De fattade därför att en ära var vederfaren modern, men de förstod ej att ett brödrahat därmed var slocknat, att upprättelse var efter döden skänkt en god och plikttrogen kvinna, som varit ringaktad därför att hon blev mor innan hon fick titeln fru.

Det strålade nu av försoning och frid, och man överbjöd varann i vänligheter. Man sökte varandras blickar, undvek störande sysselsättningar, läste önskningar.

Så kom begravningsdagen. När kistan skruvats igen och bars genom salen, som var fylld av svartklädda, råkade en liten syster i attack. Hon skrek och kastade sig i armarna på Johan. Han tog henne upp på armen och tryckte henne mot sig, som om han var hennes mor och ville skydda henne. Och när han kände den lilla darrande kroppen krama sig fast vid honom, erfor han en styrka som han länge saknat. Tröstlös kunde han ge tröst, och när han lugnade henne, blev han lugn. Det befanns emellertid vara den svarta kistan och de många mänskorna, som skrämt henne; ty de små saknade knappt modern, grät icke efter henne och hade glömt henne på en kort tid. Modersbandet är icke så snart knutet, det sker endast genom en lång, personlig bekantskap. Johans verkliga saknad räckte knappt ett kvarts år. Han sörjde länge, men det var mera ett behov att fortleva i stämningen, som var ett uttryck för hans naturliga tungsinthet, som nu i moderssorgen funnit en lämplig form.

*

På dödsfallet följde en lång sommar i sysslolöshet och frihet. Johan disponerade två rum en trappa upp tillsammans med äldsta brodern, som icke kom från sin affär förrän om kvällarna. Fadern var borta hela dagen, och när de råkades teg de. Fiendskapen var nerlagd men vänskapen var omöjlig. Ynglingen var nu sin egen herre; kom och gick, styrde och ställde. Husmamselln föll undan för honom och de råkade aldrig i konflikt. Umgänget med kamrater undvek han, stängde sig inne på sina rum, rökte tobak, läste och grubblade.

Alltid hade han hört att kunskaper var det högsta, att det var ett kapital, som aldrig kunde förloras, och att man med dem skulle stå sig, huru djupt man än sjönk på samhällsskalan. Att ta reda på allt, veta allt, var hos honom en mani. Han hade sett äldsta brors ritningar och hört dem berömmas. I skolan hade han endast ritat geometriska figurer. Han ville alltså rita, och under ett jullov kopierar han i ett sträck och i raseri broderns alla ritningar. Den sista i samlingen var en häst. När han fått den färdig och sett att det icke var någon konst, lade han bort att rita.

Alla barnen utom Johan spelade ett instrument.

Johan hörde skalor och övningar på piano, fiol och violoncell, så han blev led av alltsammans och musiken blev vad kyrkklockorna varit förut. Han ville kunna spela, men han ville inte gå igenom skalorna. Han tog i smyg noter och spelade genast stycken. Det blev dåligt, men han hade nöje av det. I ersättning företog han sig hålla reda på kompositör och opus till allt vad syskonen spelade, så att han var över dem i kunskap om musiklitteraturen. En gång söktes en notskrivare till att kopiera Trollflöjten, arrangerad för stråkkvartett. Johan erbjöd sig.

— Kan du skriva noter du? frågades han.

— Jag ska försöka, sade han.

Han övade sig ett par dagar och så skrev han ut alla fyra stämmorna. Det var ett långt, tråkigt arbete, och han höll på att tröttna, men så fick han det färdigt till slut. Det var slarvigt här och där, men det kunde begagnas.

Han hade ingen ro förrän han hade fått lära sig alla Stockholmsflorans växter. När han kände dem, kastade han ämnet. Någon botanisk exkursion roade honom ej mer; vandringar i naturen erbjöd intet nytt. Han kunde ej träffa en okänd växt. De få mineralierna hade han reda på. Insekterna ägde han i sin samling. Och fåglarna kände han på låten, på fjädrarna och till och med på äggen. Allt det där var bara yttre företeelser, namn och saker, som snart förlorade sitt intresse. Han ville se inuti. Han brukade beskyllas för förstörelseanda, ty han plockade sönder allt, leksaker, ur, allt som kom under hans hand. Han kom av en händelse på en Tham-föreläsning i vetenskapsakademien, och fick övervara en seans i kemi och fysik. De ovanliga instrumenten och redskapen fängslade honom. Professom var en trollkarl, men en som talade om hur underverket gick till. Det var nytt, och han ville själv intränga i det fördolda.

Han talade om för fadern sin nya böjelse, och denne, som i yngre år sysslat med galvanoplastik, lämnade honom böcker ur bokskåpet. Focks Fysik, Girardins Kemi, Figuiers Upptäckter och uppfinningar samt Nyblæus Kemiska Teknologi. På vinden fanns dessutom ett galvaniskt batteri med sex element av gamla Daniellska koppar- och zinksystemet. Detta fick han om händer redan som tolvåring och hanterade svavelsyra så att handdukar, servetter och gångkläder förstördes. Sedan han galvaniserat alla föremål han funnit lämpliga, lade han ner den rörelsen. Nu på sommaren i ensamheten tog han upp kemien med raseri. Men han ville inte göra de experiment, som stod i läroboken; han ville göra upptäckter. Alla medel fattades honom, pengar, apparater, men intet fick hindra. Hans lynne var nu sådant och blev än mer sådant efter moderns död, då han var sin egen herre, att hans vilja skulle fram trots allt och genast. Spelade han schack, gjorde han upp sin anfallsplan på motståndarens kung; gick på hänsynslöst utan att se på sitt försvar, överrumplade ibland motståndaren genom sin hänsynslöshet, men förlorade oftast partiet.

— Hade jag fått ett drag till, hade du varit matt i stället, sade han.

— Ja, men det fick du inte, därför blev du matt.

Skulle han in i en byrålåda, och nyckeln inte var till hands, tog han eldgaffeln och bröt upp låset, så att skruvar och låsskylt röcks loss.

— Varför har du brutit sönder låset? frågade man.

— Därför att jag skulle in i byrån.!

Det fanns dock en viss ihärdighet i allt detta gå-på. Men endast så länge raseriet varade. Han skulle göra sig en elektricitetsmaskin. På vinden hittade han en spinnrock. Från den bröt han bort det som han inte behövde och skulle nu ersätta hjulet med en rund glasskiva. Han hittade ett innanfönster. Med en kvartsflisa skar han ut rutan. Men nu skulle den bli rund och få ett hål mitt i. Med ett nyckelax satt han och bröt ut flisa efter flisa, ibland icke större än ett sandkorn; detta tog många dagar. Rutan blev rund. Men hur skulle han få hål? Hål i en glasruta. Han gjorde sig en drillborr. För att få bågen bröt han sönder ett paraply för att komma åt ett valfiskben och tog en fiolsträng till lina. Sedan repade han i glaset med kvartsen, fuktade med terpentin och drillade. Men han märkte ingen framfart. Då, när han såg sig så nära målet, förlorade han tålamodet och besinningen. Han skulle forcera hål med ett sprängkol. Rutan sprack. Då kastade han sig på sin säng, maktlös, utmattad, hopplös. I harmen blandade sig också en förnimmelse av fattigdom. Hade han bara haft pengar! Han kunde gå utanför Spolanders magasin på Västerlånggatan och se på de kemiska apparater, som fanns där. Han undrade vad de kostade, men vågade aldrig gå in och fråga. Vad tjänade det till? Han fick aldrig några pengar av fadern.

Sedan han hämtat sig från motgången skulle han göra det ingen gjort förr och ingen kan göra: ett perpetuum mobile. Fadern hade omtalat, att ett stort pris var för länge sedan utsatt för uppfinnaren av det omöjliga. Det var något som lockade honom. Han kombinerade ett vattenfall, som drog en pump, med en Heronskälla. Fallet skulle sätta pumpen i gång, pumpen skulle åter dra upp vattnet och Heronskällan hjälpa till. Han måste nu ut i vindskontoret och göra razzia. Sedan han brutit sönder alla möjliga ting för att samla material, började arbetet. En kaffekokare fick släppa till ett rör, en sodavattensmaskin gav reservoarer, dragkistan gav beslag, byrån trä, en fågelbur lämnade järntråd, en ampel blev en av bassängerna, och så vidare. Dagen var inne då avprovningen skulle ske. Då kommer husmamsellen och frågar, om han vill gå med syskonen till mammas grav. — Nej, han hade inte tid. — Om nu det onda samvetet slog honom och störde hans arbete, eller han var nervös ändå, nog av: försöket misslyckades. Då tog han, utan att vilja avhjälpa felet, hela den konstiga apparaten och slog den i kakelugnsstenarna. Där låg verket, som kostat så många nyttiga saker livet, och långa tider efter upptäcktes spåren av hans vilda framfärd i vindskontoret. Han fick snubbor, men det bet inte numer.

För att skaffa sig revansch i huset, där han ådragit sig hån för sina misslyckade experiment, anställde han några knallgasexplosioner samt tillverkade en Leydnerflaska. Kattskinnet drog han av en död svart katt han hittat i Observatoriebacken, och bar hem i sin näsduk. En natt när äldsta bror och han kom hem från en konsert, fanns inga tändstickor, och de ville inte väcka huset. Johan letade fram svavelsyra och zink, framställde vätgas vid gatlyktans sken, slog eld med elektroforen och tände lampan. Därmed var hans rykte som "kemist" stadgat. Han framställde även Jönköpings tändstickor efter recept ur Teknologien. Varför han mycket förvånades över det långt senare beviljade Jönköpingspatentet på stickor, vilka för övrigt förefunnits i handeln så som Björneborgs vaxstickor. Och så lade han ner kemien på en tid.

Faderns bokskåp innehöll en liten boksamling, som numera stod till Johans förfogande. Där fanns utom de ovan omnämnda kemiska och fysiska arbetena: trädgårdsböcker, en illustrerad naturalhistoria, Meijers Universum, Handbok för mödrar med Förlossningskonst, en tysk anatomi med figurer, Napoleons historia på tyska med stålstick, Wallins, Franzéns och Tegnérs dikter, Wallins predikningar, Blumauers Aeneis, Don Quixote, fru Carléns och Fredrika Bremers romaner, Deutsche Klassiker m.m.

Utom indianböcker och Tusen och en natt hade Johan ännu inte läst någon skönlitteratur. Han hade tittat i romaner, men funnit dem långa och tråkiga, isynnerhet därför att de saknade illustrationer. Men när nu kemien och alla andra naturens verkligheter var genomskådade, tog han en dag en visit i bokskåpet. Han tittade i poesierna. Där kände han sig svävande i luften och visste inte var han var hemma. Han förstod det inte. Så fick han Fredrika Bremer: Skildringar ur vardagslivet. Där slog familjejolm och tantmoraler emot honom, och han ställde tillbaka dem. Så fick han fatt i Jungfrutornet. Det var berättelser och äventyr. Den olyckliga kärleken upprörde honom. Men viktigare än allt var, att han kände sig vuxen med dessa vuxna mänskor. Han förstod vad de talade och han märkte att han inte var barn. Dessa fullvuxna var ju hans jämlikar. Han hade ju varit olyckligt kär, lidit, kämpat, men var kvarhållen i barndomens fängelse. Och nu kom han till fullt medvetande om att hans själ var i fängelse. Den hade varit flygfärdig för länge sen, men man hade klippt vingarna och satt honom i bur. Nu sökte han fadern och ville tala med honom såsom en jämnårig, men fadern slöt sig och ruvade på sin sorg.

*

På hösten kom ett nytt bakslag och en ny hållhake på honom. Han var mogen för gymnasieavdelningen, men kvarhölls i skolan, emedan han var för ung och skulle mogna. Han rasade. Det var andra gången man röck honom i rocken, när han ville springa. Han kände sig som en omnibushäst, som oupphörligt tar fart och oupphörligt hålles igen. Detta röck sönder hans nervliv, slappade hans viljekraft och lade grunden till blivande modlöshet. Han vågade aldrig önska något rätt livligt, ty han hade sett sina önskningar motas så många gånger. Han ville rusa fram med arbete, men arbete hjälpte ju inte: han var för ung. Nej, skolan var för lång. Den visade målet i fjärran, men satte slagbommar för löparen. Han hade räknat ut att han skulle bli student vid femton år. Han blev det inte förrän vid aderton. Och i sista åren, då han såg utgången ur fängelset så nära, kastades ytterligare ett straff-år på honom, därigenom att sjunde klassen gjordes tvåårig.

Barndomen och ungdomen blev honom ytterligt plågsam; han var led på hela livet och sökte nu trösten i himlen.

6. Korsets skola

Sorgen har den lyckliga egenskapen att äta opp sig själv. Den dör av svält. Som den väsentligen är ett avbrott i vanor kan den ersättas genom nya. Som den är ett tomrum fylles detta snart som genom ett verkligt horror vacui.

Ett tjugoårigt äktenskap var upplöst. En kamrat under kamp mot livets motigheter var förlorad; en kvinna, vid vars sida en man levat, hade gått undan och lämnat en celibatär kvar; husets administratör hade övergivit sin post. Allt var i olag. De små svartklädda pysslingarna, som överallt bildade mörka fläckar, i rummen, i trädgården, höll saknaden vid liv. Fadern tyckte att de var övergivna och trodde dem värnlösa. Han kom ofta hem från sitt arbete om eftermiddagarna och satt då ensam i lindbersån åt gatan. Han hade äldsta dottern, en sjuåring, i knä, och de andra lekte vid hans fötter. Ofta såg Johan den gråhårige mannen med de vackra, sorgsna dragen sitta där under det gröna halvljuset från lövverket. Han kunde inte trösta honom och han sökte honom ej mer. Han såg den gamles vekhet, som han ej trott på, såg honom stirrande dröja med blickarna på dottern som om han sökte konstruera ut den dödas drag i barnets obestämda ansiktslinjer. Han såg den tavlan ofta mellan trädens stammar från sitt fönster, i alléns långa perspektiv; den värmde honom och skakade honom, men han började frukta för fadern, emedan denne ej var sig lik.

Sex månader hade gått, då fadern en höstafton kom hem med en främmande herre. Det var en gammal man med ett ofantligt jovialiskt utseende. Han skämtade godmodigt, var vänlig och artig mot barn och tjänare, men oemotståndlig i sitt sätt att få mänskor att le. Han kallades kamrern, var en barndomsvän till Johans far och hade upptäckts såsom boende i huset bredvid. De gamle talade om sina barndomsminnen. Där var ett förråd, som kunde fylla tomrummet. Första gångerna stramade faderns stelnade drag, när han narrades le åt den spirituelle och humoristiske mannens anmärkningar. Om en vecka skrattade han och hela familjen, såsom endast de som har gråtit länge kan göra det. Det var en lustigkurre av rang och därtill spelade han fiol, gitarr och sjöng Bellman. Det kom ny luft i våningen, nya åskådningar, och sorgens inbillningsfantomer vädrades ut. Kamrern hade också haft sorg, han hade mistat sin fästmö och hade sedan förblivit ungkarl. Livet hade icke lett mot honom, men han hade aldrig tagit saken med livet riktigt allvarsamt.

Så kom Gustav hem från Paris; i uniform, blandande franska ord med svenska, och med livligt lynne och kvicka gester. Fadern tog emot honom med en kyss på pannan, och ett moln av sorgens minne drog förbi, ty sonen hade ej varit hemma vid moderns död. Men så klarnade det igen och det blev livligt i huset. Gustav ingick i affären, och nu hade den gamle någon att tala vid om vad som intresserade honom.

En sen höstafton efter supén, då kamrern var hemma och sällskapet satt tillsammans, steg fadern upp och bad att få tala. — Mina gossar och min barndomsvän, började han. Därpå förkunnade han sin avsikt att skänka sina små barn en ny mor, och han tillade att passionernas tid var förbi för honom och att endast intresset för barnen dikterat hans beslut att taga mamsell *** till sin äkta hustru.

Det var husmamsellen. Detta sade han med en överlägsen ton, som om han ville säga: detta angår er inte egentligen, men ni ska få veta det ändå! Därpå fördes mamsell ut och mottog lyckönskningar, varma av kamrern, men mycket blandade av de tre ynglingarna.

Två av dem hade icke så fina samveten, ty de hade häftigt, men oskyldigt tillbett henne, den tredje, Johan, hade levat i oenighet med henne på sistone. Vem som var mest generad, undras.

Det uppstod en lång paus, varunder ynglingarna rannsakade sina njurar, uppgjorde sina konton och funderade på följderna av denna oväntade händelse. Johan måtte först ha osat bränt horn och funnit situationens krav, ty han gick samma afton in i barnkammaren och rakt fram till mamsell. Det svartnade för ögonen när han framsade följande tal, i hast komponerat och överläst i faderns stil.

— Som vi nu råkar att stå i förändrade förhållanden till varandra, sade han, så ber jag mamsell låta det förflutna vara glömt och låta oss vara vänner.

Det var uppriktigt menat, klokt handlat och hade ingen baktanke. Det var ett bokslut med det gamla och en önskan om god samvaro för framtiden.

Följande middag kom fadern upp till Johan på hans kammare och tackade honom för hans ädla beteende mot mamsell, och som uttryck för sin glädje lämnade han honom en liten present, en länge efterlängtad till och med. Det var en kemisk apparat.

Johan skämdes att mottaga gåvan och fann inte sin handling ädel. Den var en naturligt följd, den var klok, men fadern och mamsell skulle hissa upp den och i den läsa goda förebud för sin kärlekslycka. De fick också snart inse sin villfarelse, som då naturligtvis lades på gossens skuldregister.

Att den gamle gifte om sig för barnens skull, därom finnes intet tvivel, men att han även älskade den unga kvinnan, det är säkert. Och varför skulle han inte få det? Det angick ingen, men fenomenet är konstant, både att änklingar snart gifter om sig, huru svårt än äktenskapet varit, och att de känner sig begå en otrohet emot den avlidna. Döende makar brukar plågas mest vid tanken på att den efterlevande skall gifta om sig.

Bröderna tog saken flott och böjde sig. De hade faderskulten som religion. Tro och icke tvivla. De hade aldrig tänkt att faderskapet endast var en tillfällig egenskap, som kunde falla på var mans lott.

Men Johan tvivlade. Han kom i ändlösa dispyter med bröderna och angrep fadern, som före sorgårets utgång förlovat sig. Han frammanade moderns skugga, spådde olycka och fördärv, retades till överdrifter och förgick sig

Brödernas argument var: det rör oss inte vad pappa gör! — Det var sant att de icke ägde döma däröver, men det rörde dem alla djupt. — Ordryttare, sade de, ty de kände icke huru orden har många valörer.

En afton strax efter, då Johan kom hem från skolan, såg han huset upplyst och hörde musik och glam. Han gick upp på sitt rum och satte sig att läsa. Huspigan kom upp och bad honom från fadern stiga ner, ty det var främmande.

— Vilka?

— De nya släktingarna.

Han bad hälsa, att han inte hade tid. Så kom en bror upp. Han var ovettig först, bad sedan. För gubbens skull kunde han väl komma ner, bara ett ögonblick och hälsa. Han skulle få gå genast.

— Ja, han ville fundera!

Slutligen gick han ner; såg salen full med fruntimmer och herrar; tre mostrar, en ny mormor, en morbror, en morfar. Mostrarna var unga flickor. Han gjorde en bugning mitt på golvet, artigt men stelt.

Fadern var ond, men ville ej visa det. Han frågade Johan om han ville ta ett glas punsch. Johan tog det. Därpå frågade den gamle ironiskt om han hade så mycket att göra till skolan. Ja, det hade han. Och så gick han upp på sitt rum. Där var kallt och halvmörkt, och att läsa gick ej, när han hörde dans och musik därnere. Så kom köksan och budade till supén. Han ville inte ha någon mat. Hungrig och ursinnig gick han i rummet av och an. Ibland ville han ner, där det var varmt, ljust och glatt; och han hade låsvredet i handen många gånger. Men så vände han om. Han var blyg. Rädd för mänskor av naturen, hade han under sommaren, då han icke talt vid någon, blivit än mera vild. Och så gick han hungrig till sängs och ansåg sig som den olyckligaste mänska som fanns.

Följande dag kom fadern upp på hans rum. Nu sade han honom att han varit falsk, när han bett mamsell om förlåtelse.

— Förlåtelse? Han hade inte haft något att be om förlåtelse för.

Men nu skulle fadern böja honom, han måtte göra sig aldrig så hård.

— Försök! tänkte han. Försöken uteblev på en tid, men Johan gick och stålsatte sig för att mottaga böjningarna.

*

Brodern satt och läste vid aftonlampan uppe på kammaren. Johan frågade: Vad läser du? Brodern visade titeln på omslaget. Där stod med stora frakturer på gult omslagspapper den ryktbara titeln: "En ungdomsväns varning för ungdomens farligaste fiende."

— Har du läst den? frågade Gustav.

Johan svarade ja, och drog sig tillbaka. När läsningen var slutad, lade Gustav in boken i sin byrålåda, och gick ner. Johan öppnade lådan och tog fram den hemska skriften. Ögonen löpte över sidorna utan att våga stanna. Knäna skallrade, blodet försvann från ansiktet, pulsarna frös. — Han var sålunda dömd till döden eller vansinnet vid tjugofem års ålder. Hans ryggrad och hjärna skulle rinna bort, hans ansikte bli som en dödskalles, hans hår falla av, händerna darra — det var fasansfullt. Och botemedlet? Jesus! Men Jesus kunde icke bota kroppen, endast själen. Kroppen var dömd till döden — vid tjugofem år — återstod endast att rädda själen från evig fördömelse. — Detta var Dr. Kapffs beryktade partiskrift, som bragt så många ynglingar på dårhuset, bara för nöjet att få öka de protestantiska jesuiternas partinumerär. En sådan skrift, så djupt osedlig, så skadlig, borde i sanning åtalas, sekvestreras och brännas. Eller åtminstone motverkas av upplystare skrifter i ämnet. En sådan fanns verkligen och råkade senare i händerna på Johan, som sedan gjorde allt för att sprida den, ty den var så sällsynt. Den hette "Farbror Palles råd till unga syndare", och ansågs vara författad av medicinalrådet Wistrand. Det var en hjärtlig bok, som tog saken ledigt; talade uppmuntrande till pojkarna och framhöll särskilt huruledes man överdrivit vådorna av okynnet, varjämte han gav praktiska råd och hygieniska anvisningar. Men än i dag regerar Kapffs ursinniga skrift, och läkare överhopas av syndare, som med klappande hjärta avlägger bekännelsen. För icke länge sen kom en student till en berömd stockholmsläkare och bekände med tårar huru han förspillt sitt liv och endast avvaktade döden.

— Ä prat, herre, svarade doktorn. Se på mig; finns väl ingen som varit så okynnig som jag.

Syndaren såg på honom och fann för sig en fyrtifemårig Herkules, vilken därjämte ägde en stark, orubbad intelligens.

Men Johan fick intet tröstens ord i sin svåra bedrövelse på ett helt år. Han var dödsdömd; återstod bara att leva ett dygdigt liv i Jesus intill slaget skulle komma. Han tog upp moderns gamla pietistskrifter och läste om Jesus. Han bad och pinade sig. Ansåg sig ensam som en brottsling, förödmjukade sig. När han gick på gatan dagen efter, steg han ner från trottoaren för varje människa han mötte. Han skulle döda sitt själv och uppgå i Jesus; lida sin tid och sedan gå in i sin Herres glädje.

Han vaknade en natt och såg bröderna sitta vid ljus. De talade om ämnet. Han kröp under täcket, stack fingren i öronen, för att inte höra. Men han hörde ändå. Bror talade om pensionen i Paris, där ynglingar bands i sängarna utan att detta hjälpte. Han ville springa upp, bekänna för dem, be om nåd, om hjälp, men han vågade inte höra bekräftelsen på dödsdomen. Om han gjort det kanske han fått tröst och hjälp. Men han teg. Han svettades och bad till Jesus, icke till Gud numera. Vart han gick, såg han det förfärliga ordet i svarta frakturkapitäler på gul botten, på husmurar, på rummets tapeter. Och byrån, där boken låg, inneslöt giljotinen. Var gång brodern gick i lådan darrade han och sprang ut. Han stod långa stunder framför spegeln och såg efter om ögonen sjunkit, håret lossnat och dödskallen stuckit fram. Men han såg frisk och röd ut.

Han slöt sig inom sig själv, blev tyst och undvek sällskap. Nu inbillade sig fadern att han ville visa sitt ogillande över hans giftermål, att han var högfärdig, och nu skulle han krökas. Han var krökt redan, och när han med tystnad böjde sig under krossningen, triumferade fadern över sin lyckade kur.

Detta retade ynglingen, och ibland reste han på sig. Ibland uppsteg ett svagt hopp om att kroppen skulle kunna räddas. Han gick på gymnastiken, tog kallt vatten och åt litet om kvällarna.

För övrigt, att vara pietist eller älska Jesus må man icke tro är något helt; det är en stämning, som kommer momentvis och går som ett väder, det är ett sätt att se sakerna, som fordrar lång vana att komma in i; det är en roll som icke läres så hastigt. Att vara pessimist, när man är ung och stark, och Jesuismen var ren pessimism, då den trodde att världen var usel alltigenom, det går inte så lätt. Livsglädjen ligger där, och man ser många så kallade uppriktiga självbedragare bland läsarna, som är rätt muntra. Är de gifta och sunda, måste de ovillkorligen ha många stunder, då de glömmer

Jesus helt och hållet och då han inte får vara med, just i de stunder då individen känner livskraften så mångdubblad, att den räcker utom individen ut på släktet.

I skolan märktes nu på hans krior intrycken av pietistskrifterna, och två examensstilar, daterade 1862 och 63, hade detta utseende:

En illa använd dag är för alltid förlorad.

Tiden är den dyrbaraste av alla de gåvor, som Gud har givit oss; därföre skola vi använda den på ett sätt, som visar, huru högt vi värdera denna gåva. Vi skola använda varje dag, varje timma till något nyttigt ändamål, såväl för kroppen som själen, och icke förspilla den på ett onyttigt sätt.

Om jag således använder en dag på ett, för mitt samvete icke tillfredsställande sätt, så kan den förlust, som jag lidit, aldrig ersättas; således är den förspillda dagen förlorad för alltid, i anseende till de nyttiga lärdomar, som jag då kunnat inhämta, ty den tid, vilken har flytt, kommer aldrig tillbaka. Varje dag förer oss närmare graven; och vi skola tänka på att en gång stå till svars för, huru vi använt vår tid. Vi skola därföre ifrån ungdomen vänja oss att värdera och använda den dyrbara tiden och varje dag söka inhämta nya kunskaper och för övrigt använda den på ett sätt, som Gud och vårt samvete bjuda. Ty en illa använd dag är för alltid förlorad.

Vad solen är för jorden, är Religionen för människan.

Solen är oumbärlig för all jordisk vegetation. Utan

hennes livgivande ljus och värma skulle inga växter, inga djur och i följd därav inga människor finnas, utan hela vår jord skulle vara en öken. Men solen ingjuter icke allenast liv utan även hopp hos människorna; ty, då hon om kvällen går ned, hoppas vi alltid att se henne nästa morgon uppgå med en ny dag. Likasom vi för vårt lekamliga liv nödvändigt behöva solen, så är religionen livskraften för vårt andliga liv. Ty det är den, som giver oss tröst i våra bekymmer och även hopp om ett kommande liv, den är ock den enda drivfjädern till en dygdig och rättskaffens levnad, emedan den förespeglar en belöning för de goda gärningarna samt straff för de onda.

*

Ynglingens jag hade nu blivit genom liv, skolumgänge och lärdom en rätt rik resumé, och genom jämförelse med andras enklare jag fann han sig överlägsen. Men nu kom Jesus och ville döda hans jag. Det gick icke så lätt, och kampen blev svår, vildsint. Han såg också hur ingen annan förnekade sitt jag, varför, varför i Jesu namn skulle han förneka sitt?

På bröllopet gjorde han revolt. Han steg inte fram och kysste bruden, såsom de andra syskonen, och han drog sig ifrån dansen tillbaka till toddygubbarna, där han berusade sig något.

Nu skulle straffet komma och hans själv brytas ner.

Han blev gymnasist. Det gjorde honom inte vidare glad. Det kom för sent, som en för länge sedan förfallen skuld till honom. Han hade tagit ut den njutningen i förskott. Ingen gratulerade honom, och han fick icke genast gymnasistmössa. Varför? Skulle han stukas, eller ville icke fadern se hans lärdom i yttre tecken? Slutligen blev det ett förslag att en moster skulle brodera kransen på sammet, som skulle sys på en vanlig svart mössa. Hon broderade en ek- och lagerkvist, men dåligt, varför han led smälek av kamraterna. Han var den enda, som hade gått utan den sedvanliga mössan, en lång tid. Den enda! Utpekad ensam, förbigången ensam!

Därpå nedsattes frukostpengarna, som i skolan varit fem öre, till fyra. Detta var en onödig grymhet, ty huset var icke fattigt, och en yngling behöver mer mat. Följden blev den att Johan aldrig åt frukost, ty tolvskillingen för veckan gick åt till tobak. Han hade nu en förfärlig aptit och var alltid hungrig. När det var kabeljo till middan, åt han sig trött i käkarna, men gick hungrig från bordet. Fick han då absolut för litet mat? Nej, ty det finnes miljoner kroppsarbetare, som får mycket mindre, men de högre klassernas magar måtte vara anpassade för starkare och mera koncentrerad föda. Han mindes därför hela sin ungdom som en lång svält.

Vidare nedsattes dieten under styvmoderns regim och maten blev sämre. Linnet fick numera också endast bytas en gång i veckan i stället för två. Det var en förkänning av att en underklass kommit upp till styret. Ynglingen var inte högfärdig på så sätt, att han icke erkände husmamsellns börd, men när hon uppträdde såsom tryck, flyttat nerifrån över honom, då gjorde han uppror — men så kom Jesus emellan och bad honom vända andra kinden till.

Han växte och fick gå i urväxta kläder. Kamraterna började gyckla med honom för hans korta byxor och hans hemgjorda krans på mössan. Alla hans skolböcker köptes antikvariskt i gamla upplagor, varvid uppstod många ledsamheter i skolan.

— Det står så i min bok, svarade Johan.

— Får jag se på din bok!

Skandal! Och order att köpa nyaste upplagan, vilket aldrig skedde.

Hans skjortor slutade nu på halva armen och kunde inte knäppas. På gymnastiken behöll han därför alltid jackan på. En middag skulle han i egenskap av rotmästare stanna kvar på enskild, högre lektion för löjtnanten.

— Tag av er jackorna nu, gossar, så ska vi ta oss lite motion, sade löjtnanten.

Alla kastade av sig, utom Johan.

— Nå, är jackan av än?

— Nej, jag fryser, sade Johan.

— Han ska snart bli varm, sade löjtnanten, av med tröjan bara.

Han vägrade. Löjtnanten kom nu vänligt skämtsamt fram till honom och drog i ärmarna. Han gjorde motstånd. Läraren såg på honom.

— Vad är det för slag? sade han. Jag ber hyggligt, och han vill inte göra mig till viljes. Gå då sin väg!

Ynglingen ville säga något till sitt försvar; såg bedrövad på den hygglige mannen, hos vilken han alltid stått väl — men han teg och gick!

Nu kände han kväsningen. Fattigdom, ålagd av grymhet som förödmjukelse, icke framkallad av nöd. Han beklagade sig för bröderna, men de sade att han inte skulle vara högfärdig. Klyftan, som olika bildning dragit mellan dem, var öppnad. De tillhörde nu olika samhällsklasser och de grupperade sig på faderns sida, såsom klasskamrat och den maktägande.

En annan gång fick han en jacka, som var en ändrad blå frack med blanka knappar. Kamraterna hånade honom därför att han ville leka kadett. Och det var det sista han ville, ty vara mer än synas, däri låg hans högfärd. Den jackan led han otroligt av.

Därpå började det systematiska böjningsarbetet. Johan kördes upp om morgnarna tidigt och sändes ut i ärenden, som skulle uträttas innan han gick till skolan. Han skyllde på läxorna, men det hjälpte ej. Du har så lätt att lära, att du hinner med att läsa annat skräp, hette det.

Att gå ärenden, när det fanns dräng, kulla och så många tjänare — onödigt. Han insåg att det var färlan. Nu hatade han sina förtryckare, och de honom.

Därpå började en annan kurs i dressyr. Han skulle vara oppe om morgnarna och köra fadern ner till staden, och detta innan han gick till skolan, så återvända med häst och vagn, spänna ifrån, sopa stallet och ge hästen mat. Samma manöver upprepades på middagen. Sålunda sköta läxor, skola, och två gånger om dagen köra till och från Riddarholmen. Han frågade sig vid äldre år om det kunde ligga någon öm omtanke i detta; om den kloke fadern såg att hans hjärnverksamhet skadade honom och att han behövde kroppsarbete. Eller kanske det var en ekonomisk åtgärd för att spara drängens arbetstid. Kroppsarbetet var nog nyttigt och skulle kunna anbefallas alla föräldrar till påtänkning, men Johan kunde inte se välviljan, om den fanns, ty det hela gick till elakt, så öppet elakt som möjligt, och visade så sin avsikt att göra ont, att han inte kunde upptäcka några goda avsikter, som ju även kunnat finnas där vid sidan av de elaka. När sommarlovet kom, urartade körningen till stalltjänst. Hästen skulle fodras ut på bestämda timmar, och Johan måste hålla sig hemma och passa klockslag. Hans frihet var slut. Och han kände den stora förändringen, som inträtt i hans ställning, vilken han tillskrev styvmodern. Ifrån att vara en fri man, som rådde sin tid och sina tankar, var han bliven tjänare: du kan göra litet nytta för maten! Och när han såg hur de andra bröderna skonades för drängsysslor, var han övertygad om att det var elakhet. Att skära hackelse och sopa golv, bära vatten och sådant, var utmärkt gott, men avsikten fördärvade allt. Om fadern sagt honom att det var nyttigt för hans hälsa, särskilt hans könsliv, skulle han med nöje gjort det. Nu hatade han det. Han var mörkrädd, ty han var som alla barn uppfostrad av pigor och han måste göra stort våld på sig för att kunna gå upp på höskullen om kvällarna. Han förbannade varje gång han skulle dit, men hästen var en godmodig tok, som han talade vid ibland och beklagade sig för. Dessutom var han djurvän och hade kanariefåglar, som han vårdade med omsorg.

Han hatade sysslan, emedan den var honom ålagd av för detta husmamselln, som ville hämnas och visa sin överlägsenhet över hans överlägsenhet. Han hatade den emedan den ålades såsom betalning för hans studier. Nu hade han genomskådat uträkningen med hans lärda bana. Man skröt med honom och hans lärdom; det var sålunda icke av godhet mot honom han fick undervisningen.

Så trotsade han och körde sönder vagnsfjädrarna. När de steg av vid Riddarhustorget, synade alltid fadern hela vagnen. Så fick han se att en fjäder var av.

— Kör till smeden, sade han.

Johan teg.
— Hörde du?
— Ja, jag hörde.
Nu fick han köra ner till Målargatan, där smeden bodde. Denne förklarade att han behövde tre timmar till lagningen. Vad återstod att göra? Spänna ifrån, leda hem hästen och komma igen. Men att leda en påselad vagnshäst på Drottninggatan och i gymnasistmössa; kanske möta pojkarna vid Observatorium, som avundades hans mössa, eller ännu värre, de vackra flickorna på Norrtullsgatan, som log vänligt mot honom. Nej, hellre vad som helst. Så tänkte han leda Brunte ner till Rörstrandsgatan, men då fick han släpa honom över Karlberg, och där kände han kadetter. Han stannade på gården, sittande i solgasset på en bjälke, och förbannade sitt öde. Han tänkte på alla somrar han varit på landet, på alla kamrater som nu bodde på landet, och därefter mätte han sin olycka. Men hade han tänkt på bröderna, som nu satt instängda på heta, mörka kontor i tio timmar, utan hopp om en enda dags ledighet, skulle han ha kommit till andra resultat rörande sitt läge; men det gjorde han ej. Likväl skulle han nu ha velat byta med dem. De förtjänade åtminstone sitt bröd och slapp vara hemma. De hade sin ställning klar, men hans var oklar. Varför skulle föräldrarna låta honom lukta på äpplet och så rycka undan det? Han började längta ut, vart som helst. Hans ställning var falsk, och han ville ha den ren. Ner eller upp, icke mellan hjulen och krossas!

Därför gick han också en dag till fadern och bad att få sluta skolan. Fadern gjorde ögon och frågade hyggligt varför. Han var led på alltsammans, lärde ingenting och ville ut i livet att arbeta och föda sig själv.

— Vad vill du bli då?

Det visste han inte. Och så grät han.

Några dagar därefter frågade fadern honom om han ville bli kadett. Kadett? Det blixtrade för ögonen på honom. Han visste inte vad han skulle svara. Det var för mycket. Bli en sådan fin herre med sabel. Han hade aldrig drömt så djärvt.

— Fundera, sa fadern.

Han funderade hela kvällen. Där på Karlberg, där han badat och blivit bortjagad av kadetterna, skulle han få gå i uniform. Bli officer, det vill säga få makt, flickorna skulle le mot honom, och — ingen skulle mer förtrycka honom. Han kände livet ljusna, pressarna lyftas från bröstet och hoppet vaknade. Men det var för mycket för honom. Det passade varken honom eller hans omgivning. Han ville inte dit upp och befalla, han ville bara slippa att lyda blint, att bevakas, att kuvas. Slaven, som icke vågar begära av livet, vaknade hos honom. Han sade nej! Det var för mycket för honom!

Men tanken att ha kunnat få det, som kanske alla ynglingar längtat efter, var honom nog. Han avstod det, steg ner och återtog sin kedja. När han senare blev en självkär läsare, så inbillade han sig att han avstått äran för Jesu skull. Det var inte sant, men något självplågeri låg det nog i offret.

Emellertid hade han ytterligare läst i föräldrarnas kort: de ville ha heder av honom. Troligen var den där kadett-idén styvmoderns!

Nya stridsämnen erbjöd sig och av allvarligare art. Johan hade tyckt sig märka att de yngre syskonen gick dåligt klädda och han hade även hört skrik från barn-kammaren.

— Ha! hon slår dem!

Nu spionerade han. En dag märkte han att barnpigan lekte på ett misstänkt sätt med den yngre brodern, då denne låg till sängs. Gossen blev ond och indignerad och spottade flickan i ansiktet. Styvmodern ville ingripa, men Johan trädde upp. Nu hade han blod på tanden. Saken hänsköts till faderns hemkomst. Efter middagen skulle slaget stå. Johan var beredd. Han kände sig som målsman för den döda modern. Så börjades det. Fadern ryckte på Pelle efter vederbörlig angivelse och skulle slå honom.

— Låt bli och slå honom! skrek Johan med en befallande och hotande ton och gick fadern på livet, som om han ville ta honom i kragen.

— Vad i Jesu namn säger du för slag?

— Rör honom inte. Han är oskyldig.

— Hör du, kom in får jag tala vid dig, du är visst tokig, sade fadern.

— Ja, jag ska komma, jag, fortfor den rädde Johan som en besatt.

Fadern föll ett ögonblick för hans säkra ton, och hans ganska klara förstånd måtte ha sagt honom att saken var sjuk.

— Vad har du att säga? frågade han lugnare, men misstänksam ännu.

— Jag säger att det är Karins fel; hon bar sig illa åt, och hade mamma levat, så...

Det stack djupt!

— Vad pratar du för smörja om mamma! Du har en ny mamma nu. Bevisa vad du säger. Vad har Karin gjort?

Ja, det var just olyckan att han inte kunde säga det, ty han fruktade röra vid en öm punkt. Han teg, och han föll. Tusen tankar snurrade genom huvudet. Hur skulle han uttrycka sig! Orden trängdes och han sa en dumhet, tagen i högen ur en skolbok.

— Bevisas? sa han. Det finns klara saker, som varken kan eller behöver bevisas. (Fy fan så dumt, tänkte han, men det var för sent!)

— Nej hör du, nu är du dum, sade fadern och hade övertaget.

Johan låg slagen, men han ville bitas ändå. En ny skolreplik han själv fått i näsan och som värkte än, stack sig i handen på honom.

— Om jag är dum, så är det ett naturfel, som ingen har rättighet att förebrå mig.

— Å skäms, att stå och prata persilja, med mig. Ut med dig och kom inte igen! Han blev utkastad.

Efter den betan hölls alla avstraffningar, när Johan var borta. Man trodde att han skulle flyga i strupen på dem, om han hört något, och det var nog sannolikt.

Det fanns även ett annat sätt att böja honom, ett ohyggligt sätt, som brukas ofta nog i familjer. Det var att stanna honom i växten genom att tvinga honom umgås med yngre syskon. Barn tvingas ofta leka med sina syskon antingen de är sympatiska för varandra eller ej. Detta är ett grymt våld, men att nödga en äldre söka umgänge med en mycket yngre, det är brott mot naturen, det är att stympa ett ungt, växande träd. Johan hade en yngre bror, ett barn på sju år, ett snällt barn, som trodde alla väl och inte gjorde någon för när. Johan såg noga efter att man ej misshandlade honom och tyckte om honom. Men att tala vid eller umgås förtroligt med en så ung, som inte förstod den äldres tankar eller språk, det gick inte.

Nu skulle han det. En första maj, när Johan beräknat

få gå ut med kamrater, sade fadern helt enkelt: tag nu Pelle med dig och gå till Djurgården, men se efter honom. Det fanns ingen appell. De kom på slätten, mötte kamrater, och Johan kände den lilla brodern som en black om foten. Han ledde honom för att han icke skulle trampas av folket, men han kände huru han önskade honom hemma. Gossen talade, pekade på förbigående, och Johan rättade honom. Men som han kände sig solidarisk skämdes han på broderns vägnar. Varför skulle han behöva ta om igen sådana sensationer som att skämmas för fel i etiketten, som han dessutom inte begick själv. Han blev stel, kall och hård. Gossen ville se på Kasper, men Johan ville inte. Han ville ingenting av allt vad brodern ville. Och så blygdes han över sin hårdhet. Förbannade sin själviskhet, hatade sig, föraktade sig, men kunde icke frigöra sig från de dåliga känslorna. Pelle förstod ingenting; han såg bara ledsen och försakande ut, tålig och mild. — Du är högfärdig, sade Johan åt sig själv, du berövar barnet ett nöje. Var mjuk. — Men han hårdnade. — Slutligen bad den lille få köpa pepparkakor. Johan piskade sig att göra uppköpet. Mitt på slätten. Tänk om någon såg honom, en gymnasist, köpa pepparkakor, och kamraterna, som satt på Novilla och drack punsch sedan. Han gjorde köpet och stoppade kakorna i blusfickan på brodern. Och så gick de framåt. Det kommer två kadetter, som varit Johans kamrater. Han ser dem skrida fram emot sig. I detsamma räcker en liten hand fram en pepparkaka. — Se där, Johan, har du! — Han stötte tillbaka den lilla handen. Och han ser två blåa, hjärtegoda ögon, frågande, bedjande se upp mot sig. — Nu ville han förintas, gråta, ta upp det sårade barnet i sina armar, be honom förlåta, värma upp isen, som kristalliserade in hans hjärta. Han kände sig vara en usling, en eländig, som stötte tillbaka en hand. De gick hem.

Han ville skaka av sig brottet, men kunde inte. Men han framkallade bilden av medbrottslingarna, som framtvingat den bedrövliga situationen, och han piskade dem i sina tankar.

Han var för gammal att vara i nivå med barnet, och han var för ung att kunna stiga ner till barnet.

Men fadern, som levat upp genom sin förbindelse med en tjugofyraårig kvinna, vågade även opposition mot Johans lärda auktoriteter och ville stuka honom också på det området. De satt efter avdukat aftonbord, fadern med sina tre tidningar, Aftonbladet, Allehanda och Posttidningen, Johan med en skolbok. Gubben gjorde en paus.

— Vad är det du läser? frågade han.
— Filosofi!

Lång paus. Pojkarna kallade alltid logiken filosofien.

— Vad är filosofi för slag, egentligen?
— Läran om tänkat.
— Hm! Ska man behöva lära sig tänka! Får jag se på det där!

Han sköt upp glasögonen och läste.

— Tror du bönderna i riksdan (han var bondehatare, men nu behövde han bönderna till argumenteringen), tror du bönderna i riksdan har lärt filosofi? Det tror inte jag, men ändå slår de professorer på fingrarna, så det är en lust åt det. Ni läser så mycket onödigt! Och därmed var filosofien avskedad.

Faderns sparsamhet försatte även Johan i högst obehagliga ställningar. Två kamrater erbjöd sig att

116

under lovet lära honom matematik. Johan frågade fadern om tillstånd.

— Ja, gärna för mig.

När de sedan skulle honoreras, förmenade gubben att de var så rika att man inte kunde betala dem.

— Men man kunde ge dem en present, menade Johan.

De fick aldrig något!

Han skämdes i ett helt år och kände första gången det ohyggliga i en skuld. Kamraterna gav först fina vinkar, sedan grova. Han undvek dem icke, kröp efter dem för att visa sin tacksamhet. Han kände att de ägde bitar av hans själ, hans kropp, att han var deras slav och att han inte kunde bli fri. Ibland framkastade han löften, inbillande sig de skulle fyllas, men de fylldes aldrig, och skuldens tyngd ökades av brutna löften. Det var en tid av ändlösa kval, kanske mycket bittrare då, än han sedan kunde erinra sig dem.

För att hålla honom igen i växten uppsköts även konfirmationen. Han läste teologi i skolan och kunde evangelierna på grekiska, men han var inte mogen för konfirmationsexamen!

Krossningsarbetet i hemmet blev så mycket mera tryckande, som hans ställning i skolan var en fri mans. Han hade som gymnasist fått rättigheter där. Sålunda steg han upp och gick ut ur klassen, utan att begära lov; blev sittande vid frågorna och vågade resonera med lärarna. Han var den yngsta i klassen, men satt bland de äldsta och längsta. Lärarna uppträdde numera som föreläsare mera än som läxförhörare. Den förre mänskoätaren från Klara skola var en patriark, som utlade Ciceros Ålderdomen och Vänskapen och brydde sig mindre om glosorna. Ja, han ingick i en ganska närgången förklaring över Didos och Æneas möte i grottan, varvid han började med den förklaringen att "dem renom är allting rent", utbredde sig om kärleken, förirrade sig och blev djupt melankolisk. (Pojkarna fick sedan veta att han just i draget friade till en gammal fröken.) Han tog aldrig någon hög ton mera, utan var nog ädelmodig en gång då han läst över galen läxa (han var svag i latinet), att helt öppet bekänna det han icke vågade ge lektionen på den grunden, och varur han drog den sensmoralen, att man aldrig borde gå till skolan oförberedd på läxorna, även om man var aldrig så skicklig. Detta gjorde en stor effekt på pojkarna. Han vann som människa, om ock han förlorade som latinare. Och sedan hjälptes man åt vid explikationerna.

Johan blev såsom skicklig i naturvetenskaperna invald i föreningen "Naturvetenskapens vänner", och såsom den enda ur sin klass var detta en stor ära. Nu fick han vara tillsammans med kamrater ur de högsta klasserna, vilka skulle bli studenter året därpå. Och så skulle han hålla föredrag. — Han talade om detta hemma, att han skulle hålla föredrag. — Han skrev ihop en avhandling om luften och läste upp den.

Efter sammankomsten gick föreningen ner i en grop vid Hötorget och drack punsch. Johan var blyg för de stora herrarna, men han kände sig märkvärdigt väl. Det var första gången han blivit upplyftad ur sin åldersklass. Där talades i tur om oanständiga anekdoter. Han talade bara om en oskyldig sådan och med mycken blyghet. Sedan kom herrarna hem på besök och tog med sig hans bästa fjällväxter och några kemiska apparater.

*

Johan hade fått en vän i skolan av en ren slump. När han satt primus i skolans högsta klass kom rektorn en dag in med en lång herre i bonjour, mustascher och pincené.

— Hör du Johan, sade han, ta hand om den här gossen, han är nykomling från landet, och sätt honom in i förhållandena.

Pincenén såg föraktligt på pysen i jackan, och det blev inte något närmande. Men de satt bredvid varandra, och Johan höll i boken och viskade till den gamle, som aldrig kunde något, men talade om blandare och kaféer.

En dag leker Johan med hans pincené och råkar bryta av fjädern. Kamraten blev ond. Johan lovade att låta laga den. Han tog pincenén med sig hem. Den var tung att bära, ty han visste ingen utväg att få pengar. Så grep han sig an och skulle laga den. Tog ur skruvar, borrade en gammal urfjäder, men lyckades icke. Kamraten påminde. Johan var förtvivlad. Fadern skulle aldrig betala den.

— Nå, då låter jag laga den, så får du betala sedan.

Den blev lagad och det kostade femtio öre. På måndagen avlämnade Johan tolv skilling i koppar och lovade lämna resten nästa måndag. Kamraten förstod sammanhanget.

— Det är dina frukostpengar, sa han. Har du bara tolv skilling i veckan?

Johan rodnade och bad honom ta emot. Nästa måndag lämnade han de andra kopparslantarna. Nytt motstånd, nytt motyrkande.

Ynglingarna följdes sedan klass efter klass och ända

in i Uppsala och ändå längre. Han hade ett glatt lynne och tog världen utan alla omsvep. Disputerade lindrigt med Johan, men fick honom mest att skratta. Och genom motsättning mot det trista hemmet, blev skolan nu en glad, ljus tillflyktsort från familjetyranniet. Men därav uppstod ett dubbelliv, som åter skulle förrycka honom i alla ledgångar.

7. Första kärleken

Om människans karaktär slutligen är den roll hon i samhällslevnadens komedi stannar vid, så var Johan vid denna period den mest karaktärslösa; det vill säga ganska uppriktig. Han sökte, fann intet och kunde icke stanna vid något. Hans brutala natur, som avkastade alla pålagda selar, böjde sig icke, och hans hjärna, som var född revoltör, kunde icke bli automatisk. Han var en reflexionsspegel, som återkastade alla strålar som träffade den. Ett kompendium av alla erfarenheter, alla skiftande intryck, och full av stridiga element.

En vilja hade han, som arbetade ryckvis och då fanatiskt; men samtidigt ville han egentligen ingenting; var fatalist, trodde på oturn; var sangvinisk och hoppades allt. Hård som is i hemmet, var han dessemellan känslosam till sentimentalitet; kunde gå in i en portgång och ta av sig underrocken åt en fattig, gråta vid åsynen av en orättvisa. Hans könsliv, som efter upptäckten av synden lagts ner, bröt nu ut i nattliga drömmar, som han tillskrev djävulen och mot vilken han åkallade Jesus som hjälpare. Han var nu läsare; uppriktig? Så uppriktig någon kunde vara, som ville leva sig in i en antikvarisk världsåskådning. Han var det av behov hemma, där allting visade sig som ett hot mot hans andliga och lekamliga frihet. I skolan var han en glad världsman, osentimental, mjuk och lätt att umgås med. Där uppfostrades han för samhället och hade rättigheter. I hemmet drogs han upp som en matnyttig växt för familjens behov, och hade inga rättigheter. Han var även läsare av andligt högmod, såsom alla läsare. Beskow, den botfärdige löjtnanten, hade kommit hem från Kristi grav, där han funnit ginvägen över dimissionsexamen till himlen. Hans "Resa" lästes i hemmet av styvmodern, som lutade åt läseriet. Beskow gjorde läseriet fint och på modet, och efter modet följde nu en hel del av underklassen. Läseriet var vad spiritismen nu är: ett gottköpsvetande, en föregiven högre kunskap om förborgade ting, och det omfattades därför med begär av alla fruntimmer och olärda, och stack sig slutligen in vid hovet. Gunnar Wennerberg hade bänknyckel i Betlehemskyrkan och justitierådet Adlercreutz satt ordförande i Evangeliska Fosterlandsstiftelsen.

Vilade detta på ett andligt allmänt behov? Var tiden så hopplöst reaktionär att man behövde bli pessimist? Nej! Kungen förde ett muntert liv på Ulriksdal och gav en glad, fördomsfri ton åt societetslivet. Friska strömmar brusade i det politiska livet, där nu representationsförslaget förbereddes. Danska kriget väckte uppmärksamheten på utlandet och riktade blickarna utom rå och rör; folkbeväpningen med skytterörelsen väckte land och stad med trummor och spel; de nya oppositionstidningarna Dagens Nyheter och den våldsamma Söndags-Nisse blev ventiler för instängd ånga, som måste ut; järnvägar öppnades på alla kanter och satte ödemarker i förbindelse med de stora motoriska nervcentra. Det var icke någon mörk nedgång, tvärtom en uppvaknandets ljusa, förhoppningsfulla ungdomstid. Var kom då läseriet från? Det var ett blåsande väder; kanske även en landgång för de i bildning vanlottade, på vilken de räddade sig från lärdomstrycket oppifrån; det låg även ett demokratiskt element i detta, att en för hög och låg gemensam gottköpsvisdom fanns att tillgå, som satte alla samhällsklasser i nivå. Nu när bördsadeln var på upphällningen, kändes bildningsadeln dess mer tryckande. Man avskaffade den i ett slag genom läseriet, trodde man.

Johan blev läsare av många motiv. Bankrutt på jorden, han skulle dö vid tjugofem år med smält ryggrad och bortfallen näsa, sökte han himlen. Tungsint av naturen, men full av ysterheter, älskade han det tungsinta. Led vid läroböckerna, som inte gav levande vatten, emedan de ej berörde livet, fann han mera spis i en religion, som oupphörligt fann sin tillämpning i dagliga livet. Därtill kom mera direkt att den olärda styvmodern, som kände hans överlägsenhet i bildning, sökte kravla sig över honom på Jakobsstegen. Hon talade ofta vid äldsta bror om de högsta tingen, och var Johan då i närheten fick han höra huru de föraktade hans världsliga visdom. Detta retade honom, och han skulle upp till dem. Därför fick han gå över dem. Vidare hade modern efterlämnat ett testamente, däri hon uttalade sig mot andlig högfärd och pekade på Jesus. Sist kom vanan att i familjebänken söndag ut och söndag in höra en läsarpräst predika Jesus, varförutom huset var överlupet med pietistskrifter. Det trängde sig på honom från alla håll.

Styvmodern och äldsta brodern brukade sitta och i minnet genomgå en god läsarpredikan de kunnat få höra i kyrkan. En söndag efter slutad gudstjänst tog Johan och skrev upp hela den beundrade predikan. Han kunde icke neka sig nöjet att presentera den åt styvmodern. Gåvan mottogs icke med välbehag. Hon var stukad. Men hon gav sig icke en tum.

— Guds ord skall vara skrivet i hjärtat och icke på papperet! sade hon. Det var inte illa sagt, men Johan såg att hon var högfärdig. Hon trodde sig vara längre på helgelsens väg och redan ett Guds barn.

Kapplöpningen börjar, och Johan går på konventiklar. Därpå svaras med ett halvt förbud, ty han var icke konfirmerad än; och alltså inte mogen för himlen. Nu fortsätter dispyterna med äldre brodern. Johan säger att Jesus förklarat att barnen hör till himlen också. Man slåss om himlen. Johan kan Norbecks teologi, men den förkastas osedd. Han tar Krummacher, Kempis och alla pietisterna till hjälp. Nej, det hjälpte ändå inte. — Så här skulle det vara! — Hur? — Som jag har det, men som du inte kan få! — Som jag? — Se där läsarens formel. Självrättfärdighet. — En dag sade Johan att alla mänskor var Guds barn. — Omöjligt! Då vore det ju ingen konst att bli salig! — Det skulle vara en konst, som endast de kunde! — Skulle då alla bli saliga? — Ja visst, Gud var kärleken och ville ingens fördärv. — — Om alla bleve saliga, vad gagnade då att plåga sig? — Ja, det var just frågan! — Du är således en tvivlare, en hycklare? — — Mycket möjligt att de var det allesammans!

*

Johan ville nu storma himmelen och bli ett Guds barn, och kanske därmed också stuka de andra. Styvmodern var nämligen icke konsekvent. Hon gick på teatern och dansade gärna. En lördagsafton på sommaren förkunnades att hela familjen skulle på lustresa om söndag morgon. Det var en order. Johan tyckte det var synd,

124

ville begagna tillfället och i ensamheten söka Jesus, som han icke funnit än. Omvändelsen skulle nämligen efter beskrivning inträda som ett åskslag och åtföljas av visshet om att man var ett Guds barn, och så vore friden där.

När fadern om aftonen läste tidningen, gick Johan fram till honom och bad att få vara hemma från lustresan.

— Varför det? frågade han vänligt.

Johan teg, Han skämdes.

— Ja, om din religiösa övertygelse förbjuder dig, så följ ditt samvete.

Styvmodern var slagen. Hon skulle begå sabbatsbrottet, men inte han.

De reste. Johan gick i Betlehemskyrkan och hörde Rosenius. Rummet var mörkt, hemskt, och mänskorna såg ut som de fyllt de fatala tjugofem åren och fått ryggraden smält. Blygrå i ansiktet, slocknade blickar; skulle det vara möjligt att den där doktor Kapff skrämt dem till Jesus allesammans? Underligt såg det ut.

Rosenius såg ut som friden och strålade av himmelsk glädje. Han erkände visserligen att han var en genomusel syndare, men Jesus hade honom renat och nu var han lycklig. Han såg lycklig ut. Var det möjligt att det fanns en lycklig mänska? Varför blev då inte alla läsare!

Johan hade ändå icke erfarit nåderörelsen och han hade ofrid. Det var för liten publik för att den skulle kunna komma honom att tro, att endast här i huset vid Övre Bangränden de saliga hade sin boning. Alla de stora kyrkorna, där döda präster predikade, var ju fulla av blivande osaliga.

På eftermiddan läste han Thomas a Kempis och

Krummacher. Därpå gick han ut till Haga och bad hela Norrtullsgatan efter, att Jesus skulle söka honom. I Hagaparken satt små familjer med matkorgar, och ungdom lekte. Var det möjligt att alla dessa skulle resa till helvetet? Ja visserligen! Orimligt, svarade hans goda förstånd. Men det var så. En kalesch med fina herrar och damer körde förbi. Och de där, de var allaredan dömda! Men de hade roligt åtminstone. De livliga tavlorna av glada mänskor fördystrade honom än mer, och han kände den förfärliga ensamheten i en folkhop. Trött i tankarna gick han hem, nedslagen som en författare, som sökt inspiration med våld, men ej kunnat finna den. Och han lade sig på sin säng och längtade från hela livet.

På aftonen kom syskonen hem, glada och bullrande, och frågade om han haft roligt.

— Ja, svarade han, har ni?

Och nu fick han detaljer om utfärden och kände styng i hjärtat, var gång han avundades dem. Styvmodern såg icke åt honom, ty hon hade begått sabbatsbrottet. Det var hans tröst! Nu skulle det genomskådade självbedrägeriet ha tärt upp sig och dött, men då inträder en ny viktig faktor i hans liv, som eldar upp självplågeriet till fanatism, varpå det dör knall och fall.

Hans liv hade inte varit så ursinnigt jämntrist under dessa år som det senare i perspektiv tedde sig, då alla mörka punkter var tillräckligt många att smälta ihop till en enda grå fond. Men bakom och under allt vilade hans tillbakatryckta ställning i livet som barn, då han var manbar, läroämnenas oförmåga att intressera, hans kiliasm, eller väntan på döden vid tjugofem år, hans otillfredsställda släktdrift, omgivningens olika bildningsgrad och oförmåga att begripa honom.

Med styvmodern följde tre unga flickor i huset, hennes systrar. De öppnade snart vänskap med styvsönerna och gjorde promenader, kälkbacksåkningar och lekar tillsammans. De sökte alltid åstadkomma försoningar; erkände systerns fel för gossen, och därmed var han genast nöjd, så att hans hat gav sig. Även mormodern tog förmedlarens roll och uppträdde slutligen avgjort som vän till Johan och bad mången gång stormen lägga sig. Men ett fatalt öde kom honom att förlora denna vän också. Fastern hade icke tyckt om det nya giftermålet, och brytning med brodern hade inträtt. Detta var en stor sorg för gubben. Umgänget upphörde, och man såg varann icke mer. Det var högfärd naturligtvis. Men en dag möter Johan kusinen, då en äldre flicka, mycket fint klädd, på gatan. Hon var nyfiken höra om det nya giftermålet och promenerar med Johan på Drottninggatan.

Hemkommen träffar han mormor, som i vassa ordalag förehåller honom att han inte hälsat på henne i Kungsbacken, men hon förstod nog att han var i för fint sällskap för att vilja hälsa på gumman. Han bedyrade sin oskuld, men förgäves. Som han inte hade många vänner var denna förlust smärtsam.

Emellertid följde även umgänge med andra unga flickor av styvmoderns bekantskaper. Det lektes lekar, pantlekar efter tidens enkla seder, och man kysste flickorna och tog dem om livet. Och en vacker dag hade han lärt sig dansa samt blev en ivrig valsör. Detta blev en mycket god uppfostran för ynglingen, ty därigenom vandes han att se och vidröra kvinnokroppen utan att hans lidelser väcktes. Första gången han skulle kyssas, darrade han, men snart var han lugn. Elektriciteten fördelades, fantasierna fick fast form, och drömmarna blev mer ostörda. Men elden brann, och djärvheten trädde fram ett par gånger. Vid en pantlösning i ett mörkt rum tog han en ung, vacker, svarthårig flicka på brösten, som endast doldes av en tunn garibaldiskjorta. Hon fräste. Han skämdes efteråt, men kunde inte underlåta tycka sig manlig. Om hon inte hade fräst, bara!

En sommar vistades han med styvmodern hos en av hennes släktingar, en lantbrukare i Östergötland. Där blev han behandlad som gentleman och blev ganska god vän med styvmodern. Men det räckte inte länge, och snart stod striden i ljusan låga. Så gick det upp och ner, fram och åter.

Vid denna tid är det som han ingår, nu vid femton års ålder, sin första reguljära kärleksförbindelse, om det nu var kärlek. Kulturkärleken är en mycket förfalskad och komplicerad känsla och är i botten osund. Ren kärlek är en självmotsägelse, om man nämligen i begreppet ren inför betydelsen osinnlig. Kärleken såsom släktdrift skall vara sinnlig, om den skall vara sund. Såsom sinnlig måste den älska kroppen. Under det ruset pågår ackommoderar sig själarna och sympati uppstår. Sympati är vapenvilan, kompromissen. Därför utbryter vanligen antipatien, när det sinnliga bandet lossnat, icke tvärtom. Men ordet sinnlig har genom kristendomens kadaverösa moral fått en låg betydelse: anden är fången i köttet; döda köttet och giv anden fri. Nu är likväl anden och köttet ett, så att om man dödar köttet dödar man anden.

Kan vänskap uppstå och vara mellan de olika könen? Endast skenbart, ty könen är födda fiender; + och −

förblir alltid motsättningar, positiv och negativ elektricitet är fiender, men söker varandra för att komplettera varandra. Vänskap kan endast uppstå mellan personer med samma intressen, samma åskådningar ungefär. Man och kvinna är genom samhällsordningen födda med olika intressen, olika åskådningar; därför kan vänskap mellan könen endast uppstå i äktenskapet, där intressena blir desamma, men då endast så länge kvinnan ägnar hela sitt intresse åt familjen, för vilken mannen arbetar. Så snart hon ägnar sig åt något utanför familjen är fördraget brutet, ty mannen och kvinnan har fått skilda intressen, och nu är det slut med vänskapen. Därför är andliga äktenskap omöjliga såsom ledande till mannens slaveri, och därför förestår äktenskapets snara upplösning.

Femtonåringen förälskade sig i en kvinna på trettio år. Hade det varit ren sinnlig kärlek, då hade man kunnat misstänka något osunt hos honom, men han kunde till sin heder skryta med att hans kärlek var osinnlig.

Hur kom han att älska henne? Många motiv som alltid, icke ett enda.

Hon var värdens dotter, hade som sådan en överordnad ställning, och huset var rikt och öppet för gäster. Hon var bildad, beundrad, härskarinna i huset, duade sin mor; hon kunde vara värdinna, förde konversationen, omgavs av herrarna, som alla ville bli uppmärksammade av henne. Därtill var hon emanciperad, utan att vara fientlig mot männen; hon rökte och drack sitt glas, men icke med osmak. Därjämte var hon trolovad med en man, som fadern hatade och som han ej ville ha till måg. Fästmannen vistades i utlandet och skrev sällan. I huset umgicks en häradshövding, teknologer, en litterat, präster, borgare. Alla fladdrade omkring henne, Johans far beundrade henne, styvmodern fruktade henne, bröderna uppvaktade. Johan höll sig bakom alla andra och observerade henne. Det dröjde länge innan hon upptäckte honom. Slutligen en kväll, när hon gnistrat och upptänt alla herrar, drog hon sig trött in i ett förmak där Johan satt.

— Gud, vad jag är olycklig! sade hon för sig själv och kastade sig på soffan.

Johan gjorde en rörelse och blev sedd. Han ansåg sig böra säga något.

— Är ni så olycklig som skrattar jämt? Ni är bestämt inte så olycklig som jag ändå?

Hon tittade på pojken, tog upp samtal, och de var vänner.

Sedan talade hon helst med honom. Detta höjde honom. Han var förlägen när hon lämnade en krets av vuxna män för att sätta sig bredvid honom. Han började nu gräva i hennes själ, gjorde frågor och anmärkningar om hennes själstillstånd, som röjde att han observerat mycket och tänkt mycket. Han fick övertaget och blev hennes samvete. När hon skämtat för livligt en kväll, kom hon till ynglingen för att bli straffad. Det var ett slags flagellation, behaglig som en smekning. Slutligen började herrarna bry henne för pojken.

— Kan ni tänka Er, sade hon en aftonstund, de påstår att jag är kär i Er.

— Det säger de om alla av olika kön, som är vänner.

— Tror ni att vänskap kan finnas mellan man och kvinna?

— Ja, det är jag viss på, svarade han.

130

— Tack, sade hon och räckte sin hand. Hur skulle jag som är dubbelt så gammal som ni, som är ful och sjuk, kunna vara kär i Er; och så är jag ju förlovad till!

Nej, det var naturligtvis inte möjligt att en gammal och ful kvinna kunde vara betagen i en ung, välutvecklad, gymnastiserad ynglings kropp, helst ynglingen hade små knubbiga händer med långa, välskötta naglar, små fötter och smäckra ben med starka vador, och ännu bevarade ett friskt hull med gryende skäggväxt. Men logiken är inte så stark, när hjärtat är sårat. Att Johan däremot skulle älska en trettioårig kvinna, lång och karlavulen, som hade sockersjuka och vattsot, det var nästan orimligt.

Men efter den betan tog hon övertaget. Hon blev moderlig. Det grep honom; och när hon sedan raljerades för sin böjelse, kände hon sig nästan generad och slog bort alla andra känslor än de moderliga och började arbeta på hans omvändelse, ty hon var läserska också.

De räkades i en fransk konversationscirkel och hade långa promenader hem, under vilka de talade franska. Det var lättare att säga kinkiga saker på ett främmande språk. Därpå började han skriva franska krior för henne, som hon rättade.

Faderns beundran för den gamla flickan avtog, och det där fransktalandet äcklade styvmodern, emedan hon icke förstod det. Äldre broderns prerogativ på franskan var också därmed neutraliserat, vilket förargade fadern så, att han en dag säger åt Johan, att det var obelevat tala ett främmande språk i närvaro av personer, som ej förstod det, och han kunde inte förstå hur mamsell X., som skulle vara så bildad, gubevars, kunde tillåta sig sådan ogrannlagenhet. Men hjärtats bildning var icke det samma som bokbildning.

Hon var icke tåld numera i huset och de blev "förföljda". Därtill kom att familjen flyttade till granngården, så att umgänget blev mindre livligt.

Första dagen efter flyttningen var Johan uppriven. Han kunde icke leva utan hennes dagliga sällskap; han kunde icke leva utan detta stöd, som lyft honom ur hans åldersklass upp ibland de vuxna. Att gå dit in till henne och söka henne som en löjlig älskare, nej, det kunde han inte. Återstod bara att skriva brev. Och nu öppnas en korrespondens, som räckte ett år. Styvmoderns syster, som avgudade den intelligenta och glada flickan, lämnade breven i hemlighet och brevskrivningen gjordes på franska att i händelse av konfiskering förbli hemlig, utom det att man rörde sig lättare under denna betäckning. Vad breven handlade om? Om allt. Om Jesus, om kampen mot synden, om livet, döden, kärleken, vänskapen, tvivlet. Ehuru hon var läserska, umgicks hon med fritänkare och led av tvivel, tvivel på allt. Johan var ömsevis hennes stränge lärare, ömsevis hennes straffade son.

Några översättningar av de franska kriorna kan ge ett begrepp om oredan i bådas inre.

Är människans liv ett smärtans liv?
(Les jours de l'homme sont ils des jours de douleurs.)
(1864.)

Det mänskliga livet är en strid från början till slut. Vi födas alla till detta eländiga liv under omständigheter, fulla av bekymmer och smärtor. Barndomen har redan sina små sorger och obehag; ungdomen har sina stora frestelser, på vilkas besegrande hela livet beror. Mannaåldern har sina bekymmer för existensen och uppfyllandet av plikterna; ålderdomen slutligen har också sina taggar och sin bräcklighet. Vad äro alla njutningar, all glädje, som så många mänskor anse för livets högsta goda? Vackra illusioner! Livet är endast en oavlåtlig strid med motgångar och olyckor, vilken strid först skall sluta med döden. Men låtom oss betrakta saken från en annan sida. Finns inga anledningar till att vara nöjd och glad? Jag äger ett hem, föräldrar, som ägna omsorg åt min framtid, jag lever i tämligen goda omständigheter, har en god hälsa, skall jag då icke vara nöjd och glad? Jo, men ändock är jag det ej. Betrakta den fattige arbetaren, som efter slutat dagsverk återvänder till sin enkla hydda, där fattigdomen råder; han är lycklig och till och med glad. Han skulle fröjdas åt en småsak, som jag föraktar. O, jag avundas dig, lyckliga människa, som äger den sanna glädjen!

Men jag är bedrövad. Varför så? — Du är missnöjd; svarar du. — Nej, alls icke, jag är ganska nöjd med min lott och begär ingenting. Hur är det då fatt? Ah, nu vet jag det; Jag är icke nöjd med mig själv, och icke med mitt hjärta, som är så fullt av elakhet och vrede. Bort ifrån mig, dessa elaka avsikter, jag vill med Guds hjälp försöka vara lycklig och nöjd. Ty man är endast lycklig då man är nöjd med sig själv, sitt hjärta och sitt samvete.

*

Väninnan tyckte inte om denna förnöjsamhet, utan ändrade sista punkten så att missnöjet skulle hållas vid liv. Hon skrev över:

"Man är lycklig först då hjärtat och samvetet säger en att man sökt och funnit den ende, gode *Läkaren*, som kan bota alla hjärtats sår, och då man vill uppriktigt följa *Hans råd.*"

Detta jämte långa samtal föranledde ynglingens hastiga omvändelse (omsvängning) till den sanna (väninnans) tro, och gav anledning till följande utgjutelse, i vilken han disciplinerat sin uppfattning om tro och gärningar.

Ingen lycka utan dygd, ingen dygd utan
religion.
(1864.)

Vad är lyckan? De flesta världsmänniskor[1] anse lyckan såsom besittandet av stora rikedomar och allt världens goda, för att därigenom kunna tillfredsställa sina syndiga önskningar och passioner. Andra, som icke äga så stora fordringar, finna lyckan i blotta välmågan, hälsan och i att befinna sig "lyckliga"[2] i skötet av sin familj. Andra åter, som icke äga ens så höga fordringar på den världsliga "lyckan" och som äro fattiga, äta dålig kost, förskaffad medelst träget arbete, äro[3] nöjda med sin lott och till och med lyckliga. De kunna till och med tänka: vad jag är lycklig i jämförelse med dessa rika som aldrig äro nöjda.[4] Emellertid, äro dessa verkligen lyckliga, emedan de äro nöjda? Nej, det finns ingen lycka utan dygd. Ingen är lycklig utom

1 Observera det nya uttrycket.
2 Ett troligen ironiskt citationstecken.
3 Rättat till: kunna vara nöjda etc. Johan är icke riktigt inne i saken ännu.
4 Det var alltid hans fattiga tröst att de rika voro missnöjda.

den, som för ett verkligen lyckligt liv.[5] Nåväl,[6] men det finns många verkligt dygdiga människor. Det finns mänskor, som aldrig sjunka i laster, som föra ett anspråkslöst liv, som icke såra någon, som äro benägna att förlåta[7] och som uppfylla sina plikter samvetsgrant, de äro till och med religiösa; de gå i kyrkan varje söndag, vörda Gud och hans heliga ord (dock utan att vara pånyttfödda av den Helige Ande!). Nå, äro de då icke lyckliga, då de ju äro dygdiga? — Det finns ingen dygd utan *sann religion*.[8] Dessa *dygdiga* "världsmänskor" äro i själva verket mycket sämre än de mest lastbara.[9] De förra hava insövt sig i en moralisk säkerhet (certitude morale), de finna sig vara bättre än andra människor[10] och rättfärdiga inför Den Heliges ögon. Men det är just dessa fariséer, som uppfyllda av egenkärlek tro sig förtjäna den eviga saligheten genom sina gärningar. Vad äro dock *våra* gärningar inför den helige Guden? Synder och ingenting annat än synder. Dessa människor, som tro sig rättfärdiga, hava den största svårighet att omvända sig, emedan de icke anse sig ha behov av någon medlare, då de själva vilja vinna himlen genom sina gärningar. En "gammal syndare" däremot, han kan, efter att ha blivit väckt, finna sig dålig och känna behovet av en frälsare.[11] Den sanna lyckan består i *"att hava frid med Gud i sitt hjärta genom medlaren Jesus Kristus"*. Man kan icke finna denna frid förrän man insett sig vara den största av alla

5 Han insisterar!
6 Nu tournerar han.
7 Det var den högsta dygd han visste, ty den var svårast.
8 Läseri!
9 Läsarnes jalousi de metier mot andra religiösa.
10 Detta är mycket roligt sagt!
11 Farliga läror! Detta är ju direkt uppmaning till last.

135

syndare och därpå flyr till sin frälsare för att i honom finna återlösning. Vad vi äro dåraktiga, som stöta ifrån oss lyckan. Vi veta alla var den står att finna, men i stället för att söka den, söka vi olyckan under föregivande att vi söka lyckan.

*

Härunder skrev väninnan: Mycket bra skrivet. — Det var också sina egna tankar eller ord åtminstone, som hon läst.

*

Tvivel gnagde honom emellanåt och han rannsakade sina innersta njurar. Sålunda skrev han över ett självvalt ämne.

Egoismen styr alla våra[1] handlingar.

Man säger vanligen: "Denna mänska är så god och så välgörande mot sin nästa, alla hans handlingar äro goda, han är dygdig, och allt vad han gör härflyter av barmhärtighet och kärlek till det rätta och sanna." Nåväl, gå in i ditt hjärta och forska något. Du träffar en tiggare på gatan; den första tanke, som griper dig, är visserligen denna: "Vad den mannen är olycklig, jag vill göra en god gärning och hjälpa honom." Du beklagar honom och ger honom en slant. Men griper dig icke sedan en tanke sådan som denna: "O, vad det är gott att vara välgörande och barmhärtig, det gör hjärtat så gott att ha fått ge en allmosa åt en fattig." Vilket var

1 Jag talar om världsmänniskorna.
   (Han ansåg sig redan som ett Guds barn, eller undantog han väninnan genom den noten? Ini texten straffar han sig själv.)

motivet till din handling? Var det verkligen kärlek eller barmhärtighet? Då uppträder i ditt hjärta ditt kära jag och dömer dig: det var för ditt jag, du gjorde det, det var för att lugna *ditt* hjärta, tillfredsställa ditt samvete.

Det var en tid då min avsikt var att bli präst, i själva verket en god avsikt. Men vilket motiv hade jag därtill? Var det för att tjäna min frälsare och arbeta för honom, eller endast av kärlek till honom? Nej, jag var feg och jag ville göra min börda och hans kors lätta och undvika de stora frestelser, som mötte mig överallt. Jag fruktade mänskorna. Se där motiven. — Tiderna förändras. Jag insåg att jag icke kunde föra ett liv såsom en kristen i sällskap med sådana kamrater, vilkas gudlösa samtal jag dag ut och dag in *måste* åhöra, och så valde jag en annan bana, på vilken jag kunde vara mera oberoende eller åtminstone . . .

*

Här är krian avbruten. Den är även orättad. Skulle den röra de nya sergeant-intentionerna? Möjligen.

Andra stilar handlar om skaparen i naturen och tyckes omedvetet påtryckta av Rousseau, ur vilken man fick läsa utdrag i Staaffs "Läsebok i franska språket". Han talar nämligen om herdar och näktergalar, som han aldrig sett eller hört.— —

Långa utredningar och bevisföringar hade de även rörande sitt förhållande. Var det kärlek eller vänskap? Men hon älskade ju en annan man, som hon nästan aldrig talade om. Johan observerade aldrig hennes kropp. Han såg endast hennes ögon, som var djupa och uttrycksfulla. Det var icke heller modern han precis dyrkade, ty han längtade aldrig att lägga sitt huvud i hennes knä, om han var aldrig så olycklig, vilket han däremot ville göra med andra kvinnor. Han hade nästan fasa för att vidröra henne, inte det dolda begärets fasa, utan avsmakens. Han dansade en gång med henne, men gjorde icke om det. När det blåste ute, och hennes klänning lyftes, såg han bort. Det var nog vänskap, och hennes själ var tillräckligt manlig, och hennes kropp också, för att en vänskap skulle kunna uppstå och räcka. Andliga äktenskap kan därför endast äga rum mellan mer eller mindre asexuerade, och där de finnes skall man alltid observera något anormalt. De bästa äktenskap, det vill säga de som bäst uppfyller sin verkliga bestämmelse, är just de "mal assortis".

Antipati, olikhet i åsikter, hat, förakt kan åtfölja den sanna kärleken. Olika intelligenser och karaktärer frambringar de rikaste barnen, som ärver bådas anlag. Fru Marie Grubbe, som led av överkultur, söker och söker med fullt medvetande en andlig make. Hon blir olycklig, ända tills hon får en stalldräng, som ger henne vad hon behöver och stryk till. Det var vad hon behövde som komplement.

*

Emellertid nalkades konfirmationen. Den var uppskjuten i det längsta för att hålla ynglingen bland barnen. Och även den skulle begagnas som krossning. — Fadern uttalade vid meddelandet av sitt beslut den förhoppningen, att kursen skulle smälta isen kring hans hjärta.

Nå, det blev en bakläxa med besked. Först ner bland underklassens barn, tobaksbindare och sotare, lärgossar av alla slag. Han kände medlidande med dem som tillförene, men han älskade dem ej, kunde inte och ville

138

inte närma sig dem. Han hade vuxit ifrån dem genom uppfostran, såsom han vuxit från sin familj.

Han blev skolpojke igen; duades och fick läsa innantill; stiga upp vid frågorna och i klump med de andra ta ovett. Prästen var adjunkt och läsare. Han såg ut som om han haft någon smittosam sjukdom eller läst Dr Kapff. Sträng, obarmhärtig, känslolös, utan ett nådens eller tröstens ord. Kolerisk, argsint, nervös, var denne inbilske bondpojke alla damers älskling.

Men genom att höras ofta gjorde han slutligen intryck. Han var svavelpredikant, förbannade teatrar och alla slags nöjen. Lära och leverne skulle vara ett. Johan tog nu itu med sig själv och sin väninna. De skulle ändra liv; icke dansa, icke gå på teatrar, icke skämta. Han skrev numera läsarekrior i skolan och satte sig för sig själv för att slippa höra lättsinniga historier.

— Fy fan, du är ju läsare, sa en dag en kamrat offentligt.

— Ja, det är jag, sa han. Han ville inte förneka sin frälsare.

Skolan blev nu olidig. Han led martyrium och han var rädd för världens lockelse, ty han måtte ha känt huru livet lockade. Han fann sig även vara man och ville ut att arbeta, föda sig själv och gifta sig. Att gifta sig var hans dröm, ty under annan form kunde han inte tänka sig förbindelse med en kvinna. Det skulle vara lagligt och helgat. Under dessa drömmar föder han ett beslut, som var nog så bisarrt, men väl hade sina grunder. Ett yrke skulle det vara, som var lätt att lära, som födde sin man snart, en plats där han ej skulle vara den sista, men ändock inte skulle vara hög; en ringa, ödmjuk ställning, men som förenade ett rörligt, hälsosamt liv i fria luften med en snart vunnen ekonomisk ställning. Rörelsen i fria luften, ett liv i gymnastik var kanske huvudmotivet, när han valde att bli underofficer på ett kavalleriregemente, för att undgå det där fatala dödsåret, för vilket prästen ånyo skrämt honom. Skulle det kunnat vara uniformen och hästen också. Vem vet? Mänskan är ett underligt djur, men han hade ju avslagit kadettuniformen.

Väninnan avrådde allt vad hon kunde; hon utmålade sergeanterna som de sämsta av alla mänskor. Men han var stark och sade att tron på Jesus skulle hålla honom ren från besmittelse, ja, han skulle predika Kristus för dem och göra dem alla rena. Så gick han till fadern. Denne tog det hela som en fantasi, talade om den förestående studentexamen, som skulle öppna hela världen för honom. Och så gömde han saken tills vidare.

Styvmodern hade fått en son. Johan hatade denne av instinkt, som en konkurrent, för vilken hans mindre syskon skulle vika.

Men väninnans och läseriets makt över honom var så stora att han av självspäkning ålade sig att tycka om den lilla. Han bar honom i sina armar och vaggade honom.

— Det var visst när ingen såg det, sade styvmodern senare, då han drog fram med detta som bevis på sin goda vilja. Ja det var just när ingen såg det, ty han ville ej skryta med det. Eller skämdes över det. Offret var uppriktigt, när det skedde; när det blev motbjudande upphörde det.

*

Konfirmationen försiggick efter grundliga duvningar,

enskilt, offentligt, i kyrkans kor med halvmörker, under en serie passionspredikningar, ändlösa samtal om Jesus, späkningar, så att stämningen icke kunde dyrkas opp högre. Efter storförhöret bannade han upp väninnan, emedan han sett henne skratta.

Själva nattvardsdagen höll kyrkoherden predikan. Det var en gammal upplyst mans välvilliga råd till ungdomen för livet; det var hjärtligt och tröstande; inga domsbasuner, intet straff för obegångna synder. Men han var död han, och vännerna hade redan intalat ynglingen emot honom. Ibland under predikan tyckte han det föll som balsam på det såriga hjärtat, och det föreföll honom stundom som om gubben hade rätt. Själva akten vid altaret, av vilken han väntat sig så mycket, förfelade också sitt intryck. Orgeln slet i timmar på O, Guds Lamm, miserere; gossar och flickor grät och var halvdöda, såsom vid åsynen av en avrättning. Men Johan var bara slö. Han visste varken fram eller åter. Nådemedlen hade han sett på för nära håll i klockargårdarna, och saken var driven in absurdum. Den var nu mogen att falla. Och den föll!

Han fick hög hatt; ärvde brors avlagda kläder, som var rymliga och fina. Vännen med pincenén fick nu hand om honom. Denne hade visserligen aldrig övergivit honom under läseriet. Han tog saken lätt, välvilligt, överseende och med en viss beundran för det martyrskap och den fasta tro, som Johan ville sätta i handling. Men nu ingrep han. Han tog honom med på middagspromenad. Visade honom på stadens skönheter, sade namnen på aktörerna i hörnet av Regeringsgatan och nämnde officerarna, som förde paraden. Johan var blyg ännu, och saknade självtillit.

En middag klockan tolv, när de skulle gå till grekiskan, sade vännen:

— Kom med in på Tre Remmare och ät frukost.

— Nej, vi måste i grekiskan!

— Ä, vi ger grekiskan lov i dag.

Skolka! Det var första gången. Men litet ovett var man karl till att ta.

— Ja, men jag har inga pengar!

— Nå, vad hör det hit, när jag bjuder! — Han blev stött.

De gick in på källaren. En skön lukt av biffstek slog emot dem; kyparna tog av rockarna och hängde upp hattarna.

— Matsedeln! ropade vännen med säkerhet, ty han åt på källare sedan ett par år.

— Vill du ha biffstek?

— Ja, då! Han hade icke ätit biffstek mer än två gånger i sitt liv.

— Smör, ost och brännvin; och två halva öl!

Utan vidare slog han i supen.

— Nej, men jag vet inte om jag törs!

— Har du aldrig supit förr!

— Nej!

— Ä, tan du, den gör så gott!

Han tog den. Å! Det värmde i kroppen, tårarna steg upp i hans ögon, och en lätt dimma lägrade sig över rummet; men genom töcknet klarnade det upp; och krafterna växte, tanken arbetade, synpunkterna blev nya, och att det mörka flydda ljusnade. Och så den saftiga köttbiten. Det var mat. Vännen åt ostsmörgås till. Johan sade:

— Vad säger källarmästarn om det?

Vännen log som en farbror emot honom.

— Ät du, det kostar lika mycket!

— Nej, men ostsmörgås till biffstek! Vilket oskick! Men Gud vad det var gott! Han tyckte sig aldrig ha ätit förr. Och så öl.

— Ska vi ha en hel halvbutelj var, är du galen?

Så var det då att äta en gång! Det var ingen så tom njutning som den bleke mannen påstått! Nej, det var en solid njutning att känna stark blod rulla i halvtomma ådror, som skulle förse nerverna till livets kamp. Det var en njutning att känna bortrunnen mannakraft återvända och att känna en halvkrossad viljas slappa senor åter spännas. Hoppet vaknade, dimman blev ett rosenrött moln, och vännen lät honom titta in i framtiden sådan den diktades av vänskapen och ungdomen. Dessa ungdomens illusioner på livet, varifrån kommer de? Av kraft, säger man. Men förståndet, som sett så många barndomsönskningar krossade, borde kunna sluta till orimligheten av ungdomsillusionernas förverkligande. Alla dessa drömmar är osunda hallucinationer, framkallade av otillfredsställd drift, och de skall försvinna en gång, och då skall mänskorna bli förståndigare och lyckligare.

Johan hade icke lärt att fordra av livet annat än frihet från tyranni och tillgång till bröd. Det var ju tillräckligt. Han var ingen Aladdin och trodde inte på lyckan. Han ägde nog krafter, men kände dem ej. Vännen skulle upptäcka honom.

— Du ska ut och ruska opp dig med oss ibland, sade han, och inte sitta hemma och kura.

— Gå ut, ja, det kostar pengar det, och jag får aldrig några.

— Skaffa dig på lektioner då.

— Lektioner? Jag? Tror du jag skulle få lektioner?

— Du som har så goda kunskaper, det måtte väl gå lätt.

Han hade goda kunskaper! Det var ett erkännande, eller smicker som läsarna kallade det, och det föll i god jord.

— Ja, men jag har inga bekanta! Inga relationer!

— Säg bara åt rektorn, så går det! Det har gått för mig!

Johan vågade knappt tro på en sådan lycka som att kunna förtjäna pengar. Men när han hörde att andra kunde det och han jämförde sig med dem! Ja, men de hade tur, de.

Vännen satte fart i honom, och snart hade han läxläsning om kvällarna och satt som lärare i en flickpension.

Nu vaknade hans självkänsla. Pigorna hemma kallade honom herr Johan, och lärarna i skolan interpellerade klassen: mina herrar. Därmed företager han på eget beväg att reformera sitt skolväsen. Först slutade han grekiskan, som han länge bett fadern få slippa, men förgäves. Detta verkställde han nu på eget beväg, och fadern fick icke veta det förrän långt efter studentexamen. Därpå inställde han all läsning av matematik, sedan han fått veta att en latinare hade rättighet att sakna betyg i det ämnet. Vidare slarvade han med latinet. Han skulle ta igen allt på en månad före examen genom blockläsning. Därpå införde han den ordningen att han under lektionerna läste franska, tyska och engelska romaner. Frågorna gick vanligen i ordning, och han satt med sin bok för sig ända tills frågan nalkades, då han räknade ut vad han skulle få och i hast preparerade sig. De levande språken blev nu hans styrka, jämte naturvetenskaperna.

Att läsa läxor med minderåriga var en ny, förfärlig bakläxa, men det var ett arbete som betalade sig. Naturligtvis var det endast pojkar med motvilja för läsning som begagnade sig av extra lärare. Det var ett grymt arbete för hans rörliga hjärna att ackommodera sig efter dessas. De var omöjliga! De kunde inte vara uppmärksamma. Han trodde att de var trilskna. Sanningen var att de kunde icke få viljan att vara uppmärksamma. Dessa gossar ansågs med orätt vara dumma. De var tvärtom vakna; deras tankar spelade omkring verkligheter, realiteter och de syntes snarare ha genomskådat absurditeten i läroämnena. Många av dem blev sedan duktiga karlar i livet, och än fler skulle ha blivit det, om de ej tvungits av föräldrar att göra våld på sin natur och fortsätta studierna. I flickpensionen läste han endast med de små. De stora däremot gick lösa i rummet och visade strumporna mot bordsben och stolsfötter, och han hade ett öga till dem, men vågade inga närmanden.

Nu upptogs en ny strid med väninnan, som såg hans ändrade sätt. Hon varnade för vännen, som smickrade honom, och hon varnade för de unga flickorna, om vilka han talade med en viss värme. Hon var svartsjuk. Hon vädjade till Jesus, men Johan blev tankspridd och så drog han sig ifrån henne.

Det var nu ett muntert och verksamt liv han förde. Paraden och blandare hos Andalusiskan. Om kvällarna serenader, ty han sjöng nu med i en kvartett, punsch och en lindrig kurtis med schweizerflickor. Han blev kär i en liten blond hos Andalusiskan, som satt och sov innanför disken. Han ville rädda henne åt sig, inackordera henne i en prästgård, bli präst själv och gifta sig med henne. Men kärleken gick snart över, då han en kväll såg kamraterna ta henne på bröstet inne i ett enskilt rum.

Under allt detta var Jesus suspenderad, men en svag grundton av gudsnådlighet och askes ljöd ännu efter. Han bad ännu av vana, men utan hopp om bönhörelse, då han så länge sökt den bekantskap, som påstods vara så lätt att finna hemma, bara man bultade aldrig så litet på nådens dörr. Och sanningen att säga var han inte heller angelägen att bli tagen på orden. Om dörren öppnats, och den korsfäste ropat stig in, skulle han ej varit glad. Hans kött var för ungt och sunt att ha lust att bli korsfäst.

8. Islossningen

Det var skolan som uppfostrade, icke hemmet. Familjen är för trång och har för små, själviska, antisociala syften. Inträder där till på köpet sådana abnorma förhållanden som omgifte, så är familjens enda berättigande slut, och en död moders barn borde helt enkelt tagas ifrån familjen, om fadern gifter om sig. Därmed vore alla parters intressen tillgodosedda, och faderns icke minst, som kanske är den mest lidande vid bildande av en ny kull. I familjen fanns endast en (eller två) rådande viljor utan appell; därför ingen rättvisa möjlig. I skolan fanns en ständig och vaken jury, som fällde kamrat eller lärare utan skonsamhet. Ynglingarna började avvildas, och grymheten lade sig; sociala instinkter vaknade; man började inse att de egna intressena måste befordras gemensamt genom kompromisser. Förtryck fick inte äga rum, ty medlemmarna var tillräckligt många att göra parti och revolt. En lärare, som behandlades illa av en lärjunge, kunde snarast få rättvisa genom att vädja till lärjungarna. Men även deltagande i större allmänna angelägenheter, folkets och nationens, mänsklighetens, började visa sig.

Under danska kriget 64 bildades en fond för inköp av krigstelegram, som anslogs på svarta tavlan, lästes med intresse av lärarna och gav anledningar till förtroliga samtal, till lärarnas mognare reflexioner över krigets uppkomst och orsaker. Man var ensidig skandinav naturligtvis, och frågan bedömdes från studentmötenas synpunkt. Preuss- eller tyskhatet grundlades nu till det kommande kriget och antog redan vid den avhållne gymnastikläraren löjtnant Betzholtz begravning ett stillsamt fanatiskt drag.

Uppträdena utanför La Croix's salong med de bekanta vattensprutningarna gjorde endast en löjlig effekt, och man fick aldrig riktigt reda på vad frågan gällde.

Aftonbladstelegrammet om "Han selv och de 20,000 männen" blev heller icke klart.

Året 65 nalkades. Läraren i historia, adelsman och aristokrat, en känslofull och välvillig man, sökte sätta ynglingarna in i frågan. Partier hade bildats i klassen, och en av Riddarhustalarnas söner, en greve S., allmänt avhållen och värderad, var chef för opponenterna mot förslaget. Han var av gammal tysk svärdsriddarsläkt, fattig, umgicks på förtrolig fot med sina kamrater, men hade bördskänslan starkt rotad. Dagarna före sista voteringen hade kamrater varit nere och hjälpt till att spotta åt präståndet. Batalj, mera på lek, uppstod i klassen, och bord och bänkar kastades i en hög.

Så var saken igenom. Greve S. uteblev från lektionen. Läraren i historia talade med rörelse om det offer ridderskapet och adeln gjort på fosterlandets altare, då det avstått sina privilegier. Den gode mannen visste ännu icke att privilegier inte är rättigheter, utan tagna förmånsrätter, som kan återbördas såsom egendom vid vissa mindre lagliga köp. Han bad klassen visa hovsamhet över segern och inte såra de besegrade. Den unge greven mottogs också vid sitt återinträde i klassen med utsökt aktning, men känslorna överväldigade honom vid åsynen av dessa många vanbördigas ofrivilliga upphöjelse så att han brast i tårar och måste gå ut.

Johan var icke inne i politiken. Den var naturligtvis såsom ett allmänt intresse bannlyst från hemmet, där endast enskilda intressen tillgodoses, och mycket illa de också. Söner uppfostras såsom de skulle bli söner och förbli söner hela livet, utan en tanke på att de skall bli fäder. Men ynglingen hade sin underklassinstinkt, som sade honom att en orättvisa höll på att avskaffas, att den högre ytan sänktes så att det blev lättare för den lägre att komma i nivå. Han var naturligtvis liberal, men eftersom kungen också var liberal, så var man rojalist på samma gång.

*

Parallellt med den starka bakströmmen, pietismen, gick nyrationalismen, men i motsatt riktning. Kristendomen, som med förra århundradets utgång var förvisad till mytologien, hade blivit återupptagen till nåder, och som läran hade statsskydd kunde restaurationens söner icke värja sig för de ånyo invaccinerade dogmerna. Men 1835 hade Strauss "Leben Jesu" gjort en ny bräsch och även i Sverige sipprade in nytt vatten i de ruttna brunnarna. Boken blev föremål för en process, men på den grundvalen byggdes sedermera hela det moderna reformationsverket, av självgjorda reformatorer som alltid, ty de andra, de reformerar icke.

Kyrkoherden Cramér har äran av att ha varit först. Redan 1859 utgav han sitt "Avsked ur Kyrkan", en populär, men kunskapsrik kritik över Nya testamentet. Han beseglade sin tro med handling och utgick ur statskyrkan i och med att han avgick från ämbetet. Det var hans skrift, som grävde djupast, och om än Ignells böcker höll sig mera uppe bland teologerna kom de aldrig ner till ungdomen. Samma år (1859) utkom Siste Athenaren.

Dess verkan förtogs mycket därav, att det arbetet hälsades såsom en litterär succé och förvisades till skönlitteraturens neutrala territorium. Skarpare ingrep Rydbergs "Bibelns lära om Kristus", 1862, som väckte teologerna till Ragnarök, Renans "Jesu levnad" i översättning av Ignell tog alle man, gamla och unga med storm, och den lästes i skolan jämte Cramér, vilket icke var fallet med "Bibelns lära om Kristus". Och med Boströms angrepp på Helvetesläran, 1864, var portarna öppna för rationalismen eller fritänkeriet, som det kallades. Boströms egentligen obetydliga skrift verkade dock kolossalt genom Uppsalaprofessorns och förre prinsinformatorns stora namn, som den modige mannen riskerade och som ingen efter honom riskerat, sedan det inte längre är någon ära att vara fritänkare eller arbeta för tankens fri- och rättigheter.

Nog av, allting var redo, och det behövdes bara en pust för att ynglingens korthus skulle ramla. Det kom en ung ingenjör i hans väg. Denne var till och med hyresgäst i väninnans hus. Han observerade Johan länge innan han gick på honom. Johan hade respekt för honom, emedan han skulle ha så gott huvud, och han var nog något svartsjuk också. Väninnan förberedde Johan på bekantskapen och varnade honom. Det var en ytterst intressant person med briljant huvud, men han var farlig. Johan träffade mannen. Det var en starkt byggd värmlänning, med grova, hederliga drag, ett gott, barnsligt leende, när han log, vilket icke hände ofta, mera tyst än bullrande. De var genast bekanta.

Första kvällen växlades endast ett par hugg. Det var frågan om tro och vetande.

— Tron skulle döda förnuftet! menade Johan efter Krummacher.

— Fy, sade vännen. Förnuftet är en Guds gåva, som höjer mänskan över djuret; skall då mänskan förnedra sig till ett djur genom att vräka Guds gåva?

— Det finns saker, svarade Johan (efter Norbeck) som man mycket väl kan tro utan att man begär bevis. Vi tror sålunda på almanackan utan att själva veta något om planeternas rörelser.

— Ja, svarade vännen, vi tror, där vi icke känner att vårt förnuft tar emot. Mitt förnuft har icke rest sig mot almanackan.

— Ja, svarade Johan, men på Galilei tid tog det emot i allas förnuft att få jorden gå kring solen. Det är bara motsägelseanda, sade man; han vill göra sig originell.

— Vi lever icke i Galilei tid, svarade vännen, och i vår tids upplysta förnuft tar det emot att tro på Kristi gudom och de eviga straffen.

— De där sakerna ska vi inte disputera om, sade Johan.

— Varför det?

— De står över resonemanget!

— Precis detsamma sa jag för två år sen, när jag var troende.

— Har ni varit ... läsare?

— Ja, det har jag.

— Hm! Och ni har frid nu?

— Nu har jag frid!

— Hur fick ni det?

— Jag lärde känna den sanna kristendomens ande genom en predikare.

— Ni är då kristen?

— Ja, jag bekänner Kristus!

— Men ni tror inte att han var Gud?

— Det har han aldrig sagt själv. Han kallar sig endast Guds son, och Guds söner är vi alla.

Väninnan kom och avbröt samtalet, vilket i parentes sagt var typiskt för religionsdispyter omkring 1865. Johans nyfikenhet var väckt. Det fanns mänskor, som inte trodde på Kristus, men hade frid. Nu skulle bara kritik icke ha störtat de gamla gudabilderna; fruktan för tomrummet höll honom igen, tills han fick Parker i hand. Predikningar utan Kristus och helvete, det var vad han behövde. Och så vackra predikningar. Erkännas måste att Johan läste dem ytterst hastigt, och att han var mest angelägen om att syskon och anhöriga skulle få njuta av dem, så att han skulle kunna gå fri från deras ogillande. Han förväxlade nämligen andras ogillande med ont samvete, var så van att ge andra rätt att han föll in i tvedräkt med sig själv.

Men Kristus, inkvisitorn, föll, nådavalet, yttersta straff, allt ramlade som om det varit fallfärdigt länge, länge. Han förvånade sig över att det gick så hastigt. Det var som att lägga av urväxta kläder och ta på nya.

En söndagsmorgon gick han ut med ingenjören i Hagaparken. Det var vår. Hasseln blommade, och blåsipporna var utslagna. Vädret var halvklart, luften ljum och fuktig efter ett nattregn. De talade om viljans frihet. Läseriet hade en mycket svävande uppfattning av saken. Man hade icke fri vilja att bli Guds barn. Den Helige Ande skulle söka en, alltså predestination.

Johan hade nog velat bli omvänd, men icke kunnat. "Herre, skapa i mig en ny vilja", hade han lärt bedja. Men huru kunde han då vara ansvarig för sin onda vilja? Jo, svarade läsaren, genom syndafallet, då den med fri vilja begåvade mänskan valde det onda, blev hennes vilja ond genom ärftlighet och ond för alla tider och upphörde vara fri. Och hon kunde endast bli kvitt denna onda vilja genom Jesus och den Helige Andes nådeverkan. Men att bli pånyttfödd berodde icke av hennes egen vilja utan av Guds nåd. Alltså ofri. Men som ofri fortfor hon att bli ansvarig. Däri låg felslutet.

Ingenjören var naturdyrkare, och Johan också. Vad är denna naturdyrkan, som i våra dagar anses så kulturfientlig? Ett återfall i barbari, säger några; en sund återgång från överkultur, säger andra. När mänskan upptäckt i samhället en inrättning baserad på misstag och orättvisor, då hon anser att samhället i utbyte mot små fördelar pålägger drifter och begär för hårda tvång, då hon genomskådat illusionen om att hon skulle vara en halvgud och Guds barn och finner sig vara en djurart helt enkelt, så flyr hon samhället, vilket var uppbyggt med fästat avseende på mänskans gudaursprung och hon går ut i naturen, i landskapet. Där känner hon sig i sin miljö såsom djur, känner sig inställd som staffage i tavlan, ser sitt ursprung jorden, ängen; ser hela skapelsens sammanhang i ett levande sammandrag; bergen, som blivit jord, sjön, som blivit regn, ängen, som är söndersmulade berg, skogen, som stigit ur bergen och vattnet; ser luften i stora massor (himlen), som hon och alla levande varelser andas, hör fåglarna, som lever på insekterna, ser insekterna, som befruktar växterna, skådar däggdjuren, som hon själv

153

lever på. Hon är hemma hos sig. Och i våra dagar med dess naturvetenskapliga världsåskådning skulle en enslig stund i naturen, där hela evolutionshistorien är tecknad i levande bilder, vara det enda surrogatet för en gudstjänst. Men evolutionsoptimisterna föredrar en stund på en sammankomst inne i en grändhåla, där de utöser sina förbannelser över samma samhälle, som de föraktar och beundrar. De prisar det såsom utvecklingens högsta höjd, men vill störta det såsom oförenligt med djurets sanna lycka. De vill ombilda och utveckla det, säger några. Men deras ombildning kan ej ske utan att det bestående störtas i grunden, och de vill ej några halvmesyrer. Erkänner de då icke att det bestående samhället är en misslyckad evolution och självt kulturfientligt på samma gång det är naturfientligt?

Samhället är liksom allt en naturprodukt, säger de, och kultur är natur. Ja, men det är dålig natur, natur på avvägar, eftersom den motverkar sitt ändamål: lycka.

Det var emellertid ingenjörens, Johans föregångare, och samtidas naturdyrkan, som upptäckte kultursamhällets brister och banade väg för den nya åsikten om människans härledning. Redan 1859 hade Darwins "Arternas Härledning" utkommit, men ännu hade den icke hunnit tränga igenom och ännu mindre blomstra och befrukta. Det var Moleschott, som då predikades, och materiens kretslopp var slagordet. Ingenjören plockade med den och sin geologi ner den Mosaiska skapelsehistorien. Han talade ännu om skaparen, ty han var teist, och såg hans visdom och godhet i de skapade verken.

Under det de promenerar framåt Gamla Haga, börjar klockorna i staden att ringa samman. Johan stannar och lyssnar: där var Klaras förfärliga klockor, som ringt in hans sorgliga barndom, där var Adolf Fredriks, som skakat honom in till Jesus den korsfästes blodiga famn, där var Johannes, som om lördagarna förkunnat Jakobs skola att veckan var slut.

En sakta, sydlig vind förde larmet ut ur staden och det genljöd under de höga tallarna, manande, varnande.

— Ska du gå i kyrkan? frågade vännen.

— Nej, sade Johan. Jag går aldrig i kyrkan mer.

— Ja, följ ditt samvete, sade ingenjören.

Det var första gången Johan uteblev från kyrkan. Det gällde att trotsa både faderns befallning och sitt samvetes röst. Han exalterade sig och for ut mot religion och familjetyranni och han talade om Guds kyrka i naturen; talade med hänförelse om det nya evangeliet som förkunnade salighet för alla, liv och lycka för alla. Men så tystnade han.

— Du har ont samvete, sade vännen.

— Ja, sade Johan. Antingen inte göra vad man ångrar, eller också inte ångra vad man gör!

— Det senare är bättre!

— Men jag ångrar mig ändå! Ångrar en rätt handling, ty det vore orätt att hyckla i dessa gamla avgudahus. Mitt nya samvete säger mig att jag har rätt, och mitt gamla att jag har orätt. Jag kan aldrig få frid mer!

Det kunde han icke heller. Hans nya jag stod upp mot hans gamla och de levde i oenighet som olyckliga makar hela hans liv framåt utan att kunna skiljas.

*

Reaktionen mot det gamla, som skulle utrotas, bröt

fram i våldsamma angrepp. Fruktan för helvetet var borta, självförsakelsen var enfald, och ynglingens natur tog sin rätt. Konsekvensen blev en ny moral, som han på känsel formulerade så: det som inte skadar någon medmänniska är tillåtet för mig. Han kände att familjetrycket var honom till skada och ingen till gagn; han upphävde sig mot förtrycket. Föräldrarna, som aldrig visat honom kärlek, men pockat på tacksamhet för att de gav honom på nåd och med förödmjukelse hans lagliga rätt, visade han nu sina verkliga känslor. De var honom antipatiska; han visade dem köld. På de oupphörliga angreppen mot fritänkeriet svarade han frankt, kanske övermodigt. Hans halvkrossade vilja började resa sig, och han insåg att han hade rättigheter att fordra av livet.

Ingenjören, som tilldelats den ondes roll, förbannades och blev utsatt för bearbetningar av väninnan, som nu ingick vänskapsförbund med styvmodern. Ingenjören hade icke gått till botten med saken och under antagandet av Parkers kompromiss hade han bibehållit kristendomens självförnekelse. Man skulle vara kärleksfull och fördragsam, följa Kristi exempel och så vidare. Johan hade vräkt alltsammans och kom nu i opposition mot sin lärare. Påtryckt av väninnan, för vilken han närde en stilla böjelse, och skrämd av sina lärors konsekvenser, förmåddes han nedsätta följande skrivelse, dikterad av fruktan för den eld han tänt, kärlek till väninnan, vänskap för lärjungen och uppriktig övertygelse.

"Till min vän Johan.

Huru glada möta vi ej våren, då han nu kommer för att berusa och förtjusa oss med sin härliga, gudomliga

156

friskhet och grönska! Fåglarna uppstämma sina glada och lätta melodier, blå- och vitsippor framskjuta blygsamt sina späda huvuden under granens viskande grenar."

— Det var märkvärdigt, tänkte Johan vid läsningen, hur denne flärdfrie man, som talar så enkelt och sant, kan skriva så svulstigt. Det här är osant.

"Vilket bröst, vare sig gammalt eller ungt, vidgas ej för att insupa vårens friska dofter, som sprida himmelsk frid i varje hjärta, trånad, som måste vara en salig aning om Gud och hans kärlek; — (denna vårdoft njutes som en Guds andedräkt). — Kan nu något ont bo kvar i vårt hjärta? Kunna vi ej förlåta? Ack jo! Vi *måste* det nu, sedan vårsolens kärleksstrålar bortkysst det kylande snötäcket från natur och hjärta. Vi vänta på och längta efter att få se den snöfria marken grönska, det goda och varma hjärtats goda och kärleksfulla handlingar, att se frid och sällhet spridas genom hela naturen."

— Förlåta? Jo bevars, bara man ändrade sitt uppförande och gav honom fri. Men *man* förlät ju inte honom! Med vad rätt fordrade man då överseende från hans sida? Med vad rätt? Det skulle vara ömsesidigt!

"Johan, du tror dig i naturen och genom förnuftet ha uppfattat Gud på ett bättre sätt än du förut gjorde, då du trodde på Kristi gudom och på bibeln, men du fattar icke idéen i dina egna tankar. Du har blott uppfattat den skugga, som ljuset lämnar bakom ett föremål, men ej huvudsaken, ljuset självt. Du tror att alltid en sann tanke skall förädla människan, men, ack nej, det märker du nog själv i dina bättre ögonblick. Med dina förra åsikter kunde du förlåta ett fel hos en medmänniska, du kunde uppfatta en sak från en god sida, om ock den *tycktes* vara ond; men hur är du nu? Du är häftig och bitter mot en kärleksfull moder, du dömer och är missnöjd med din ömme, erfarne och gråhårige faders handlingar."

— Med de förra åsikterna kunde Johan aldrig förlåta ett fel hos någon, minst hos sig själv; stundom hos andra, men det var dumt. Det var ju slapp moral! — En kärleksfull moder! Jo, den var kärleksfull! När kom Axel på den åsikten? De som kalfatrat den hårda kvinnan tillsammans! Och en öm fader! Nå, varför skulle han inte döma dennes handlingar. Hårt mot hårt i självförsvar! Inte längre vänstra örat till när det small på det högra.

"Förr var du ett anspråkslöst, älskligt barn, men nu är du en egenkär och inbilsk yngling."

— Anspråkslöst! Jo, det var säkert, och därför trampades han ner, men nu kände han sina rättmätiga anspråk! — Inbilsk! Ha! Läraren kände sig förbigången av den otacksamme lärjungen.

"Din moders varma tårar falla stritt utför hennes kinder . . ."

— Moders! Har ingen mor! Och styvmor gråter bara när hon är ond! Vem fan har dikterat det här?

". . . .när hon i ensamheten tänker på ditt hårda hjärta . . ."

— Vad satan har hon med mitt hjärta att göra, som har hushåll och sju barn att sköta?

". . . ditt usla själstillstånd . . ."

— Det är ju läseri det här! Min själ har aldrig känt sig så frisk och livskraftig som nu!

". . . och din faders bröst är nära att sprängas av sorg och bekymmer."

— Det var lögn. Han är själv teist och bekänner Wallin, för resten har han inte tid att tänka på mig. Han vet att jag är flitig, ärlig och inte går till flickor. Han berömde mig till och med häromdagen.

"... Du fattar ej din moders sorgsna blick ..."

— Den har andra grunder, ty äktenskapet är inte lyckligt.

"... din faders kärleksfulla varningar. Du är lik en klyfta ovan snögränsen, ur vilken vårsolens kyssar ej kunna bortsmälta snön eller förvandla några korn därav blott till en droppa vatten."

— Han måtte läsa romaner. För övrigt var Johan mycket vänsäll och mjuk mot sina vänner i skolan. Men mot fienderna i hemmet var han bliven kall. Det var deras fel.

"Vad skall omgivningen tänka om den religion du fått, då den lämnar så usla frukter? Jo — man skall förbanna den (och deras åsikter lämna ovillkorlig rätt därtill) ..."

— Inte rätt, men anledning!

"... man skall hata och förakta den nedriga usling, som i ditt oskyldiga barnahjärta spred detta helvetiska gift."

— Där har vi det. Den nedrige uslingen! Han var överflyglad.

"Bevisa framgent genom dina handlingar att du ej uppfattar sanningen så illa som du hittills gjort. Tänk på att vara fördragsam ..."

— Styvmodern!

"... att med kärlek och mildhet överse medmänniskors fel och brister ..."

— Nej då, det ville han inte! De hade torterat honom till lögn, de hade snokat i hans själ, ryckt upp god brodd såsom föregivet ogräs, de ville kväva hans jag, som hade lika stor rätt att vara som deras; de hade aldrig översett med hans fel, varför skulle han överse med deras? Därför att Kristus hade sagt . . . Han gav fan vad Kristus hade sagt, för det hade ingen tillämpning mer. För övrigt brydde han sig aldrig om dem därhemma; han slöt sig inom sig själv. De var honom antipatiska och kunde aldrig få hans sympati. Det var alltsammans! De hade emellertid fel, och ville ha hans förlåtelse! Skönt! Han förlät dem! Bara han fick vara i fred!

”. . . lär dig att vara tacksam mot dina föräldrar, som lämna varje möda ospard för din verkliga trevnad och lycka (hm!), och låt detta åstadkommas av kärlek till din Gud och skapare, som låtit dig födas i denna förädlande (hm! hm!) skola till slutlig frid och salighet, beder din sörjande men hoppfulle

Axel.”

*

Det var nog med biktfäder och inkvisitorer, tyckte Johan, hans själ var räddad och kände sig fri. De sträckte klorna efter honom, men han flydde. Vännens brev var osant och tillgjort, och han kände Esaus händer. Han svarade ej, utan avbröt umgänget med vännen och väninnan.

De kallade honom otacksam. Den som pockar på tacksamhet är värre än en fordringsägare, ty han ger först en gåva, som han skryter med, och skickar sedan räkning, en räkning som aldrig kan betalas, ty en gentjänst anses icke utplåna tacksamhetsskulden; det är en inteckning i en människas själ, en skuld, som är obetalbar och sträcker sig ut över livet. Tag emot en tjänst, och vännen skall fordra att du förfalskar ditt omdöme om honom, att du berömmer hans dåliga handlingar och hans hustrus och barns dåliga handlingar.

Men tacksamheten är en djup känsla, som hedrar människan, och som förnedrar henne. Måtte vi komma därhän att inte behöva bindas av tacksamhet för en välgärning, som kanske endast var en ren skyldighet!

Johan skämdes över brytningen med vännerna; men han kände dem hinderliga och förtryckande. För övrigt: vad hade de givit honom i umgängesnöje, som inte han givit igen?

*

Fritz, så hette vännen med pincenén, var en klok världsmänniska. Båda dessa ord, klok och världsmänniska, hade den tiden en ful betydelse. Att vara klok under efter-romantikens tidevarv, då alla var lite rubbade, och det var överklass-tecken att vara rubbad, att vara klok ansågs då liktydigt med nästan något dåligt. Att vara världsmänniska denna tid, då alla sökte skoja sig så gott de kunde mot himlen, var också något mindre bra. Fritz var klok. Han ville leva sitt enda liv gott och trevligt och göra karriär med mera. Han sökte därför de förnäma. Det var klokt, ty de hade makt och pengar. Varför skulle han inte söka dem? Hur han kom att fästa sig vid Johan? Kanske animalisk sympati, kanske mångårig vana; några intressen kunde Johan ej befordra, på annat sätt än att han viskade kamraten och höll honom med böcker. Fritz läste nämligen aldrig över och köpte punsch för de pengar, som skulle vara till böcker.

Nu, när han märkte att Johan var rengjord invändigt och att hans yttre människa var presentabel, införde han honom i sitt kotteri. Det var en liten krets av dels förmögna, dels förnäma ungherrar av samma klass som Johan. Denne var först något blyg mot de nätta herrarna, men snart var han inne med dem. En dag kommer Fritz och berättar vid paradtimmen att Johan är bjuden på bal.

— Jag på bal, är du galen! Inte duger jag där!

— Du, en sådan nätt pojke, ska göra lycka hos flickorna.

Hm! Det var en ny synpunkt på sin person Johan fick. Skulle han — hm? Tänk nu hemma, där han aldrig fick höra annat än klander!

Han gick på balen. Det var i ett borgerligt hem. Flickorna hade bleksot, somliga, andra var röda som bär. — Johan tyckte mest om de vita, som var blåa eller svarta kring ögonen. De såg så lidande och smäktande ut och kastade bedjande blickar, så bedjande. Det var en som var likvit, ögonen brann kolsvarta i djupa hålor, och läpparna var mörka så att munnen öppnade sig nästan som ett svart streck. Den slog an på honom, men han vågade inte lägga an, ty hon hade redan sin tillbedjare. Så stannade han vid en mindre bländande, mera söt och mild. På balen kände han sig väl. Umgås borta bland främmande utan att se en enda släktings kritiska ögon! Men han hade så svårt att tala med flickorna.

— Vad ska jag säga dem? frågade han Fritz.

— Kan du inte prata lite lort med dem! Vackert väder, är det roligt att dansa, åker ni skridsko, har ni sett fru Hvasser? Man får svänga sig.

Johan gick på och hasplade opp repertoaren, men det

162

blev torrt i gommen och vid tredje dansen äcklade det honom. Han blev ond på sig själv och teg.

— Är det inte roligt att dansa? frågade Fritz. Krya opp dig, gamle likkistpolerare!

— Jo, det är nog roligt att dansa, bara man slapp tala. Jag vet inte vad jag ska säga?

Det var också förhållandet. Han tyckte om flickorna, kände det behagligt att ta dem om livet, det var så manligt, men att tala med dem? Han kände att han hade att göra med en annan art av homo, en högre i vissa fall, en lägre i andra. Han tillbad i stillhet den milda lilla och hade utkorat henne till hustru. Hustru var den enda form han ännu tänkte sig kvinnan. Han dansade oskyldigt, men fick höra förfärliga saker om kamraterna, som han ej förstod förrän senare. De kunde nämligen dansa vals baklänges genom rummet på ett okyskt sätt och talade vanvördigt om flickorna.

Hans reflexionssjuka, hans eviga granskande av sina tankar hade tagit bort det omedelbara hos honom. När han talade vid en flicka, hörde han sin egen röst, sina ord, dömde dem, och så tyckte han hela balen var fånig. Och flickorna sedan! Vad var det som fattades dem? De hade ju uppfostran som han, kunde världshistoria och levande språk, läste isländska på seminarium och var styva i ordrötter, räknade algebra, allt. De hade sålunda samma bildning, men ändå kunde de inte talas vid!

— Prata lort med dem, sa Fritz.

Men det kunde han inte. Och han tänkte för övrigt högre om flickan än så.

Han tänkte överge balerna, då han inte gjorde någon lycka, men han släpades med. Det smickrade honom att vara bjuden och alltid hade det något uppryckande med sig. En dag var han i en adlig familj, där sonen var kadett. Där träffade han två aktriser från Dramatiskan.

Dem skulle han väl kunna tala vid! De dansade med honom, men de svarade honom icke. Han var för oskyldig. Så ställde han sig att lyssna på Fritz konversation. Men Gud sådana saker han talade om i eleganta ordalag, och flickorna var hänryckta i honom. Jaså, det var så det skulle vara! Men det kunde han inte! Det fanns saker han ville begå, men att tala om det, nej! Hans asketiska religion hade dödat till och med mannen hos honom, och han fruktade kvinnan såsom fjärilen, som vet att den skall dö, när den befruktat.

En dag talade en resande vän i förbigående om att äldre bror varit hos flickor. Det föll en fasa över honom, och han vågade icke se åt brodern, när denne lade sig om kvällen. Med umgänge med kvinnor ingick även föreställningen om nattliga slagsmål, polis och förfärliga sjukdomar. Han hade en gång gått förbi det långa, gula planket på Hantverkargatan, och en kamrat hade sagt: där är kurn! Sedan gick han i smyg dit och sökte titta in genom porten för att se något förfärligt. Det lockade och skakade honom såsom en gång en syn av en positivtavla på en stång, föreställande en avrättning. Han blev av denna syn så uppriven, att han tyckte det var mulet väder om dan fastän solen sken, och hemkommen om aftonen i skymningen hade några till torkning utbredda lakan så skrämt honom genom att påminna om avrättningstavlan att han föll i gråt. En kamrat, som han sett lik, spökade för honom om natten.

När han gick förbi en bordell på Apelbergsgatan, skälvde han av fasa, icke av lusta. Hela proceduren hade för honom antagit hiskliga former. Kamraterna i skolan hade smittosamma sjukdomar, talade om varandra såsom förstörda. Nej, aldrig gå till sådana flickor, men gifta sig, bo tillsammans med den enda han älskade, omhulda och omhuldas, se vänner hos sig, det var hans dröm, och i varje kvinna han blossade för såg han en bit av en moder. Han tillbad därför endast sådana, som var milda, och han kände sig hedrad av att se sig väl bemött. De granna, fjäsande, skrattande, var han rädd för. De såg ut som om de sökte rov och skulle vilja sluka honom.

Denna rädsla var delvis medfödd som hos alla gossar, men skulle ha borttagits om könen icke levde avsöndrade. Ett faderns förslag långt tillbaka i ungdomen att sätta sönerna i dansskola hindrades av modern. Detta var en faute.

Men Johan var av naturen blyg. Han ville inte visa sig avklädd och vid badningar tog han gärna på sig simbyxor. En huspiga, som under sömnen blottat hans kropp och sedan angavs av bröderna, smorde han upp med en rotting morgonen därpå.

Med balerna följde nu serenader och med dessa punschaftnar. Johan hade stort begär efter starka drycker; det var som om han druckit ett koncentrerat, flytande näringsämne.

Sitt första rus fick han på en kamratsexa på Djurgårdsbrunn. Ruset gjorde honom säll, saligt glad, stark, vänlig och blid, men längre fram vansinnig. Han pratade tok, såg bilder i tallrikarna och gycklade. Detta att agera hade han momentant liksom den äldsta brodern, vilken, ehuru djup melankoliker i ungdomen, haft ett visst rykte som komiker. Han klädde ut sig, maskerade sig och spelade en roll. De hade även spelat pjäs på vinden, men Johan var dålig, generad och lyckades endast när han hade ett exalterat ställe att återge. Som komiker var han omöjlig.

Nu inträder ett nytt moment i ynglingens utveckling. Det är estetiken.

Johan hade i faderns bokskåp hittat Lenströms Estetik, Boijes Målarlexikon och Oulibicheffs Mozarts Liv, förutom de redan nämnda klassiska skalderna. Genom en stärbhusutredning inkom i huset vid denna tid också en stor packe förlagsreturer, som bidrog till Johans tidigt förvärvade omsikt i skönlitteraturen. Där fanns sålunda i flera exemplar Talis Qvalis dikter, som befanns onjutbara; Byrons Don Juan i Strandbergs översättning vann aldrig hans smak, ty den beskrivande poesien hatade han och vers älskade han ej, utan hoppade regelbundet över den, när den förekom ini prosa; Tassos Befriade Jerusalem i Kullbergs översättning var tråkig; Carl von Zeipels berättelser omöjliga; Walter Scotts romaner för långa, isynnerhet skildringarna, (därför förstod han inte Zolas storhet, när han efter många år fick läsa hans överlastade skildringar, vilkas oförmåga att göra totalintryck Lessings Laokoon förut övertygat honom om). Dickens blåste liv i sina livlösa föremål och figurerade med dem, stämde in landskapet med personen och situationen. Det förstod han bättre. Eugène Sues Den Vandrande Juden fann han grandios och ville knappt ha räknad bland romanerna, ty roman var något från lånbibliotek och pigkammare. Detta var en världshistorisk dikt, ville han, och socialismen i den gick galant i honom. Alexander Dumas var indianböcker, tyckte han, och nu var han inte nöjd med sådana; måste ha något innehåll. Hela Shakespeare slök han i Hagbergs översättning. Men han hade alltid svårt att läsa pjäser, där ögat skulle hoppa från personnamnen ner i texten. Hans överdrivna förväntningar om Hamlet uppfylldes ej, och komedierna tyckte han var ren smörja.

I familjen räknades släkt med Holmbergsson, vars porträtt fanns på väggen och om vilken berättades historier. Han var visst faderns kusin. Schillers och Goethes byster stod på bokskåpet, och över pianot hängde porträtt av alla stora kompositörer. Lithografiskt Allehanda hölls, och där beundrades alla samtida stora artister genom deras biografier. Fadern var även ledamot av Föreningen för Nordisk konst samt som förut nämnts musikälskare, spelade piano och något violoncell. Och nu exekverade de vuxna sönerna och äldsta dottern stråkkvartetter, aldrig av andra än Haydn, Mozart och Beethoven. Hemmet hade sålunda en lätt anstrykning av konstälskeri efter ett tarvligt borgarhems små villkor.

I skolan hade Johan läst Svedboms Läsebok och Bjurstens Litteraturhistoria för Bjursten själv i Klara skola. En gosse hade reda på att Bjursten var skald. Vad var skald? Ja, det visste ingen så noga. Senare brukade Johan berätta för sina skaldebröder hurusom han fått stut av Herman Bjursten för att han läst i en sagbok under lektionen, vilket efter den tidens sätt att se skulle vara ett förebud för hans blivande verksamhet eller kallelse, som man då trodde på. Ändå senare, när man lärt sig ringakta Bjursten, berättades historien såsom rolig.

Vid privatläroverket omhuldades skönlitteraturen väl mycket av läraren i svenska språket, som var något vitter. I fjärde klassen hade de läst Fänrik Stål innantill. Rektorn, som var latinare, frågade en dag vad de läste:

— Fänrik Stål!

— Det ska ni inte läsa; det ger dålig smak, sade han åt läraren, som då var en regementspastor och naturforskare. Realism, barbari! Dispyt!

Den senare läraren hade hög smak. Man fick läsa de tråkiga Kungarna på Salamis, som då lästes högt i alla bildade familjer. En litteraturförening var bildad, och där upplästes på högtidsdagarna poem. Fritz hade skrivit ett stort stycke, som handlade om Riddarholmskyrkan och hette Det svenska Nekropolis. Det gick på melodien: Jag stod på stranden under kungaborgen, och var nog så dåligt.

Johan tålde icke poesi. Det var tillgjort, osant, tyckte han. Mänskorna talade inte på det viset och tänkte sällan så där vackra saker. Men nu anmodades han skriva i Fannys album en vers.

— Det kan du väl svänga till, sa vännen.

Johan satt uppe om nätterna, men fick aldrig mer än de två första raderna, och för övrigt visste han inte vad det skulle innehålla. Sina känslor kunde man väl inte lägga fram så där till allmänt beskådande. Fritz åtog sig att fuska åt honom, och hopkom sex, åtta rader, som rimmade, och i vilka Snoilskys sedan så bekanta sparv på fönsterrutan ur En julafton i Rom fick släppa till fjädrarna. Egendomligt var att Fritz sedan aldrig i livet skrev en rad vers mer.

Snille var ofta föremål för diskussion. Läraren brukade säga: snillena står över all rang, liksom excellenserna. Johan funderade mycket på det där och tyckte att det var ett sätt att bli i nivå med excellenserna, utan börd, utan pengar, utan att göra karriär. Men vad snille var, visste han ej. Han yttrade en gång i ett ömt ögonblick med väninnan att han hellre ville vara ett snille än ett Guds barn, och därför erhöll han en skarp tillrättavisning. En annan gång sade han åt Fritz, att han skulle vilja vara en lärd professor, som fick gå klädd som en buse och uppföra sig rått som han behagade, utan att förlora anseendet. Men när någon frågade vad han ville bli, svarade han präst; det såg han alla bondpojkar kunna bli och det tyckte han anstod honom. Sedan han blev fritänkare skulle han ta graden. Och sedan? Det visste han inte. Men lärare ville han icke bli för någon del.

Läraren var naturligtvis idealist. Braun var en rakstugspoet; Sehlstedt var nätt, men saknade idealitet; Bjurstens Napoleon-Prometheus fick läsas högt; Decamerone, som då utkom i svensk översättning, kunde endast läsas utan fara av starka karaktärer, var för övrigt ett klassiskt arbete; Runeberg, i Älgskyttarna en stark realist i formen och övergick stundom till råhet, där han ville vara klassiskt enkel: (jämför den lusige Aron på spisen).

Till julen fick Johan två band dikter av Fritz: det var Topelius och Nyblom. Topelius lärde han sig småningom tycka om därför att han uttalade kärlekskval, och i Ynglingens drömmar formulerades tidens ideal för en yngling. Nyblom var tarvlig som poet, men spelade en viss roll som målsman för estetiken, dels genom sina brev från Italien till Illustrerad Tidning, dels genom sina föreläsningar för fruntimmer på Börsen. Nyblom var icke sund realist ännu i sina föreläsningar, utan antikdyrkare eller något sådant.

Större betydelse fick teatern, som kan vara ett starkt bildningsmedel för ungdom och obildade, som ännu kan få illusioner av målad väv och okända aktörer, som de inte druckit brorskål med.

Johan hade som pojke, åttaåring, sett en pjäs, som han ej förstod ett grand av. Det var visst Rika morbror, och allt han mindes var en herre, som kastade en silversnusdosa i sjön och sjöng om Rio Janeiro. Sedan såg han Engelbrekt och hans dalkarlar och var hänryckt. Och samtidigt: Den Ondes besegrare, med Arlberg, hos Stjernström. Därpå följde operor, som under läseriperioden togs för goda såsom varande mindre syndiga. En gång var han på Dramatiskan och mindes därifrån Knut Almlöf i Den svaga sidan och mamsell Hammarfeldt i En utflykt i det gröna.

Samtidens sedekomedi, som icke saknade sitt inflytande, bestod i Jolins Mjölnarfröken, Mäster Smith, Löjen och tårar och Smädeskrivaren. I Mäster Smith bevisades, enligt kompromissen efter 1848 års misslyckade socialistrevolutioner, att vi är alla aristokrater, men huru detta missförhållande skulle avhjälpas fick man ej nys om. Faktum kvarstod, och man var nöjd med faktum. I Mjölnarfröken preparerades 1865 års revolution, ty i den bevisades att adel icke är högre ras.

Smädeskrivaren gjorde väsen emedan den slog ner i tidningsreptilernas hyde, och författaren fick en viska inkastad på scenen. Den pjäsen var emellertid så realistisk — författaren hade bland andra tagit den levande Nybom upp på scenen — att hans på äldre dagar gjorda utfall mot modern realism föreföll obefogat. Det fanns emellertid något snällt och sympatiskt hos Jolin, och hans betydelse i teatern var nästan större än Blanches, som slutligen nedsjönk till en Operakällarens kotteriskald.

Hedberg, som genom pamfletten Fyra år vid lands-
ortsteatern väckte en förarglig uppmärksamhet och
sedan i Sändebrev till teaterdirektören Stedingk fram-
kallade en mera skämtsam än allvarlig uppmaning att
förestå teaterns elevskola, räddade sig från total sol-
nedgång genom Bröllopet på Ulvåsa, som blev popu-
lärt och överglänste Värmlänningarna och Engelbrekt.
Bröllopet är dött, men Södermans marsch lever. Styc-
ket hade för övrigt ingen betydelse i Johans eller någon
samtidas utveckling. Det var ett skuggspel, ihåligt som
en operatext, och bars upp av damerna, som där fick
ett rökoffer i stor medeltidsstil. Den underkuvade
mannen knotade visserligen och ville icke känna igen
sig i Bengt Lagman men det var inte så noga.

Av större vikt blev införandet av Offenbachs operett
på kungliga teatern. Sedan författaren till Sköna Hele-
na fått inträde i franska akademien är det väl icke mera
livsfarligt att vara rättvis mot honom. Halévy och
Offenbach var israeliter och parisare under andra
kejsardömet. Som israeliter hade de ingen pietet för
den europeiska kulturens anor, greker och romare,
vilkas bildning de som orientaler aldrig behövt passera.
Som israeliter var de skeptiska gentemot västerländsk
civilisation, och mest mot västerländsk kristen moral.
De såg ett kristet samhälle bekänna den strängaste
askesmoral och leva som hedningar. De upptäckte
motsägelsen i lära och leverne, en motsägelse som
endast kunde lösas genom att ändra den föråldrade
läran, ty levernet stod icke att ändra utom genom
kloster eller kastrering. Människorna var trötta på att
hyckla och de gladdes åt att få en ny moral, som stod
i full överensstämmelse med den mänskliga naturens
beskaffenhet och vedertaget bruk. Offenbach slog an

därför att sinnena var förberedda och ledsnaden på den obekväma munkkåpan var allmän. Hellre då spritt naken. Offenbachs operett tog djupa tag, ty den beskrattade hela den västerländska föråldrade kulturen, prästadömet, konungadömet, matinrättningen, äktenskapet, de civiliserade krigen, och vad man skrattar åt är inte längre vördat. Offenbachs operett har spelat samma roll som Aristofanes komedi, varit ett liknande symptom vid slutet av en kulturperiod och därför har den fyllt en uppgift. Den var skämtsam, men skämt är vanligen maskerat allvar. Efter skrattet kom det rena allvaret, och där är vi nu.

Judarna log vid tidevarvets utgång åt dessa kristna, som i två årtusenden sökt göra ett helvete av det glada jordelivet och som nu först insåg att Kristi lära var en subjektiv, för upphovsmannens och hans under romarväldet suckande samtidas andliga behov lämpad sådan, som måste modifieras efter nya förhållanden. De som av naturen var positivister och levat fram hela epoker utan delaktighet i Kristo, såg nu de kristna vräka kristendomen, och de log. Det var judens hämnd och hans mission i Europa.

Ynglingen av 1865, ännu skälvande av stigmatiseringen, utmärglad av kampen mot köttet och djävulen, med öronen pinade av klockringning och psalmsång, kom in i den upplysta teatersalongen, i sällskap med djärva ynglingar av börd och god ställning, och från första radens fond ser han nu dessa tavlor från den glada hedendomen rullas upp och hör en musik, ursprunglig, med ett visst gemyt ty Offenbach var germaniserad, sångfull, yster. Själva musiken i ouvertyren kom honom att le, och sedan! Tempeltjänsten bakom förlåten kom honom att minnas brödbakningen i klockarens kök; åskan befanns vara en oförtent järnplåt; gudarna, som spisade offren, Carl Johan Uddman, gudinnorna, tre sköna aktriser; gudarna, osynliga regissörer. Men här strök också hela den antika världen. Dessa gudar, gudinnor, hjältar, som genom läroböckerna fått en anstrykning av helgd, störtades ner; Grekland och Rom, som alltid åberopades såsom urkällan till allt bildat, avslöjades och röcks ner i nivån. I nivån! Det var demokratiskt, ty nu kände han en press mindre, och fruktan för att icke kunna höja sig dit "upp" var borttagen. Men så kom kapitlet om livsglädjen. Mänskor och gudar parade sig huller om buller utan att begära lov, och gudar hjälpte unga flickor att rymma från gamla gubbar, prästen stiger ner ur templet, där han ledsnat hyckla, och med vinrankan om sin fuktiga tinning dansar han cancan med hetärerna. Det var rent spel! Det gick i honom som Guds ord och han hade intet att invända eller anmärka; det var som det skulle vara, just så. Var det osunt? Nej! Men att vilja tillämpa det i livet, därtill hade han inte någon åtrå. Det var ju teaterpjäs, det var overkligt, och hans synpunkt var ännu och skulle alltid bli estetisk. Vad var det där estetiska, under vilket så mycket kunde smugglas in, under vars betäckning så många medgivanden kunde göras? Ja, allvar var det ej; skämt icke heller, det var något mycket svävande. Decamerone förhärligade lasten, men dess estetiska värde kvarstod. Vad var det för värde? Etiskt var den boken fördömlig, men estetiskt berömvärd. Etisk och estetisk! En ny, dubbelbottnad trollask, ur vilken efter behag framplockades myggor eller kameler.

Men pjäsen gavs med auktoritet på kungliga teatern och spelades av de mest framstående artister, själva

Knut Almlöf var Menelaus. Generalrepetitionerna utfördes med frukost, där konungen och gardesofficerare var med som värdar. Detta visste pojkarna genom kammarherrens son, som gav dem teaterbiljetter. Det var på hög befallning nästan!

Emellertid steg skriket högt liksom förtjusningen. Man kunde inte tala utan att dra in ett uttryck ur Sköna Helena. Man kunde inte läsa Vergilius mer, utan att man översatte Achilles med den morske Achilles. Johan, som först fick se pjäsen när den spelats ett halvt år, blev till och med av latinläraren, då denne begagnade ett citat ur stycket, som Johan inte förstod, tillfrågad om han ej sett Sköna Helena?

— Nej!

— Å, kors bevare oss, men den får han lov att se!

Man måste se den; och han såg.

Litteraturläraren, som var lindrig pietist, predikade emot och varnade, men han angrep den försiktigtvis ur estetisk synpunkt; talade om dålig smak, simpel ton. Det slog an på en del, och på lärarens uppmaning gick de estetiska snobbarna och visslade åt Riddar Blåskägg, naturligtvis efter att ha grundligt roat sig åt den.

Pjäsen hade lättat upp ynglingens nertryckta sinne och lärt honom le åt avgudar, men på hans könsliv eller uppfattning av kvinnan hade den intet inflytande.

Djupare tog däremot den tungsinte Hamlet. Vem är denne Hamlet, som lever än, efter att ha sett rampljuset under Johan den tredjes tidevarv och alltid blivit lika ung? Man har gjort honom till så mycket och begagnat honom till alla möjliga ändamål. Johan tillägnade sig honom genast för sina.

Ridån går upp; kungen och hovet i lysande dräkter, musik och glädje. Så kommer den sorgklädde, bleke ynglingen in där och gör opposition mot styvfadern. Ha! Han har styvfar! Det är åtminstone lika djävligt som att ha styvmor, tänker Johan. Det är min man! Och så skall han krossas, och man vill pina ur honom sympati mot tyrannerna. Ynglingens jag reser sig. Revolt! Men hans vilja är förlamad; han hytter, men kan icke slå. Han agar likväl modern! Synd att det inte var fadern bara! Men så går han med samvetskval efteråt! Bra, bra! Han är reflexionssjuk, gräver i sig själv, betänker sina handlingar tills de upplöser sig i intet. Och så älskar han en annans fästmö. Det är ju komplett likt. Johan börjar tvivla på att han är ett undantag. Jaså, det här är vanliga historier i livet! Skönt! Då har jag inte att ta mig så nära, men inte heller något att vara originell med. Det tillyxade slutet förfelade sitt intryck, vilket dock upphjälptes av Horatios vackra tal. Bearbetarens ohjälpliga fel att ta bort Fortinbras märkte inte ynglingen, men Horatio, som nu blev kontrast, var icke någon kontrast; han var lika stor mes som Hamlet och sa bara ja och nej. Fortinbras, det var handlingens man, segraren, tronkrävaren, men han kom icke med, och nu slutade alltsammans med Jammer und Elend.

Men det var skönt att få begråta sitt öde och se sitt öde begråtet. Hamlet blev emellertid tills vidare icke annat än styvsonen; längre fram blev han grubblaren, och ändå längre fram sonen, offret för familjetyranniet. Så där växlar uppfattningarna. Schwartz hade tagit fantasten, romantikern, som inte kunde försona sig med verkligheten, och därför uppfyllde han sin tids smakfordran. En positivistisk framtid, som redan fått romantiken löjlig helt enkelt, får väl se Hamlet såsom varande en Don Quixote spelas av en komiker. Hamletiska ynglingar är redan utsatta för löjet länge sen, ty ett annat släkte har vuxit upp, som tänker utan visioner och handlar efter som de tänker.

*

Skönlitteraturens och teaterns neutrala område, där moralen icke fick vara med och ha någon talan, där mänskorna beslutat träffas nakna i gröna lunder och leka djuret med två ryggar, där man fick förneka Gud och hans heliga evangelium, där man, som i Riddar Blåskägg, fick göra narr av kungligheten på högsta befallning, diktens overkligheter med dess rekonstruktioner av en bättre värld än den förhandenvarande, togs av ynglingen såsom mera än dikt, och han förväxlade snart dikt och verklighet, inbillade sig att livet därute, utom hans hem, framtiden, var en sådan där lustgård. Särskilt började nu det närmaste paradiset, eller Uppsala, att hägra som frihetens tillhåll. Där fick man gå illa klädd, vara fattig, men ändå vara student, det vill säga vara överklass, där fick man sjunga och dricka, komma hem full, slåss med polis, utan att förlora anseendet. Det var ideallandet. Vem hade lärt honom det? Gluntarna, som han sjöng med sin bror. Men han visste nu ej att Gluntarna var överklassvyer på saken; att dessa sånger tillkom för att höras stycke efter stycke av prinsar och blivande konungar; att hjältarna var av familj; han tänkte inte på att vigilansen ej var så farlig, då det fanns en moster i bakgrunden, tentamen inte så riskabel, då man hade biskopen till morbror, inslagningen av en ruta icke så dyr, då man var i så gott sällskap.

I alla fall, framtiden började sysselsätta honom; han hade återfått hoppet om en framtid, och det ödesdigra tjugofemte året verkade icke mera så skrämmande. Detta hade sin grund i resultaten av en åtgärd, som skoldirektionerna vidtagit i och för utrönandet av sedlighetstillståndet i huvudstadens skolor. Redogörelsen lästes i aftontidningarna och kom till Johans öron. Vid verkställd undersökning hade befunnits att de flesta gossar och de flesta flickor var hemfallna under en last, som var ungdomens farligaste fiende. Alltså gå till himlen i gott och talrikt sällskap! Han var inte ensam om synden! Därtill kom att i skolan talades öppet om saken som något hörande till var mans förflutna, icke seriöst, utan i anekdotform. Johan fick nu klart för sig att det icke var en sexuell sjukdom, utan att sådana endast följde umgänge med kvinnor. Han var numera lugn, helst inga olägenheter ännu visat sig, och hans tankar var upptagna med arbeten eller med oskyldiga flammor för rena flickor med bleksot.

*

Vid denna tidpunkt blomstrar skarpskytterörelsen. En vacker tanke, som gav Sverige en armé, större än den indelta: 40,000 mot 37,000.

Johan inträdde som aktiv, fick uniform, motion och lärde sig skjuta. Men han kom även i beröring med andra samhällsklassers ungdom. På hans kompani fanns gesäller ur yrkena, bodbetjänter, kontorister och yngre artister utan namn. De var honom sympatiska, men främmande. Han sökte närma sig, men de antog honom ej. De talade sin argot, ett kotterispråk, som han inte förstod. Nu märkte han huru klassbildningen söndrat honom från barndomskamraterna och han slöt

177

sig. De ansåg honom a priori högfärdig. Men saken var att han såg upp till dem i vissa avseenden. De var naiva, orädda, självständiga och ekonomiskt bättre lottade än han, ty de hade alltid pengar. Känslan att gå i trupp på långa marscher hade något lugnande för honom. Han var icke född att befalla och lydde gärna, bara han icke märkte övermod eller härsklystnad i befallningen. Han längtade icke att bli korpral ty då skulle han tänka för andra och, vad värre var, besluta. Han förblev slaven av natur och böjelse, men kände tyrannens obefogen-het och han bevakade honom noga. På en större manöver kunde han inte underlåta att resonera över vissa besynnerligheter, såsom att infanteri från garde-na vid en landstigning höll stånd mot flottans kanoner, som betäckte de pråmar, på vilka han befann sig. Kanonerna spelade på ett par famnars avstånd mitt i näsan på gardisterna, men de stod kvar. De lydde väl de också utan att begripa. Han resonerade och svor, men han lydde, ty han hade åtagit sig att lyda.

Under en rast på Tyresö brottades han på lek med en kamrat. Kompanichefen trädde fram och förbjöd något barskt leken. Johan svarade skarpt att det var rast nu och att de lekte.

— Ja, men lek kan bli allvar.

— Det beror på oss det! svarade han och lydde. Men han tyckte det var fräckt av chefen att lägga sig i sådana detaljer och han hade tyckt sig märka en viss ovilja från förmannen, som sedan följde honom. Denne kallades magister, emedan han skrev i tidningarna, men han var inte student en gång. Där har vi't! tänkte han; han vill stuka mig. Och nu bevakade han hans rörelser. Antipa-tien räckte för livet å ömse sidor.

Skarpskytterörelsen var närmast framkallad av

tysk-danska kriget och var, oaktat övergående, till en viss nytta. Den roade ungdomen, och den borttog en del av militärprestigen, då de lägre klasserna fick inse att det inte var så svårt. Sedan gav denna insikt grunden till motståndet mot preussiska värnpliktens införande, som mycket agiterades sedan Oscar II i Berlin uttalat sin förhoppning till kejsar Wilhelm, att de svenska och preussiska trupperna ännu en gång skulle bli vapenkamrater.

9. Han äter andras bröd

Han hade fått en djärv dröm uppfylld: han hade fått en sommarkondition. Varför icke förr? Han hade inte vågat hoppas; och därför aldrig sökt. Det han riktigt livligt önskade vågade han inte sträcka sig efter, av fruktan att få ett avslag. En krossad förhoppning var det tyngsta han tänkte sig. Men nu kastade lyckan hela hornet över honom på en gång; konditionen var i ett förnämt hus, beläget i den vackraste natur han visste: skärgården; och vad mer var, i den mest poetiska av alla skärgårdens nejder: Sotarskär. Han tyckte nu om de förnäma. Styvmoderns råa behandling, släktingarnas eviga lurande på att upptäcka högfärd, där det endast fanns överlägsenhet i förstånd, ädelmod och offervillighet, skarpskyttekamraternas bemödanden att stuka honom, hade jagat honom från den klass därifrån han kommit; han tänkte icke mer som de, kände icke som de; hade annan religion, andra begrepp om livet, och hans estetiska sinne hade tilltalats av de förnäma kamraternas måttfulla väsen, harmoniska och säkra sätt att uppträda; han kände sig genom sin uppfostran närmare dem och allt mer avlägsnad från underklassen. Han tyckte att de förnäma var mindre högfärdiga än de borgerliga; de vräkte sig inte; trampade inte, värderade bildning och talang; de var på visst sätt mera demokratiska mot honom, då de tog honom som jämlike, än de där hemma, som behandlade honom som en mycket underordnad, underlägsen. Fritz till exempel, som var mjölnarson från landet, mottogs hos kammarherren och spelade komedi med sönerna inför kungliga teaterdirektören, som erbjöd honom engagemang, och ingen frågade där efter vad hans far var för en. Men när Fritz var hemma på bal i Johans hem granskades han fram och bak, och det var med stor förnöjelse en släkting kunde meddela att hans pappa bara var för detta mjölnardräng.

Johan var bliven aristokrat utan att upphöra sympatisera med underklassen, och som adeln omkring 65 och straxt efter var ganska liberal, folklig och för tillfället populär, blev han duperad. Han fattade inte att de som var uppe en gång icke vidare behövde trampa ner, att de som satt på höjden kunde vara nedlåtande utan att stiga ner, och han insåg ej att de som var nere kände sig trampade av dem som ville stiga förbi dem upp, och att de som aldrig hade utsikt komma upp endast hade den trösten att hala ner dem, som var uppe eller på väg. Det var ju lagen för jämvikten, som han ej insett än. Han var emellertid hänryckt av att komma bland de förnäma.

Fritz började ge honom instruktioner huru han skulle umgås och uppföra sig. Man skulle inte krypa, vara undfallande, icke säga allt vad man tänkte, ty det begärde ingen få veta; kunde man säga artigheter utan att smickra för grovt, vore det gott; konversera, men inte resonera, framför allt ej disputera, ty rätt fick man ändå aldrig. Det var ju en klok yngling. Johan tyckte han var faslig, men gömde orden i sitt hjärta. Vad han kunde vinna vore en akademisk kondition, kanske få resa utrikes, Rom och Paris med disciplerna; det var det högsta han begärde av de förnäma. Det ansåg han vara att göra lycka, och den lyckan skulle han nu jaga efter.

Så gjorde han sin första visit hos friherrinnan en söndagseftermiddag, då hon var i staden. Hon liknade ett gammalt porträtt av en medelålders dam. Örnnäsa, stora bruna ögon och krusat hår ner över tinningarna. Hon var elegisk, släpade på rösten och talade något i näsan. Johan tyckte inte hon såg fin ut, och våningen var tarvligare än hans hem, men de hade ju herrgård på landet, slott. Hon tilltalade honom likväl, ty hon hade ett drag som påminde om hans mor. Hon examinerade honom, konverserade och släppte sitt nystan. Johan sprang upp, tog fatt nystanet, men återlämnade det med en min, som självbelåtet sade: jag kan det där, ty jag har tagit upp många näsdukar förut åt damerna. Examen utföll till hans fördel, och han var antagen.

Morgonen om dagen då de skulle resa ur staden, infann han sig i våningen. Kunglig sektern, så kallades husbonden, stod i skjortärmarna framför salsspegeln och knöt sin halsduk. Han såg stolt och mjältsjuk ut och hälsade kort och kallt. Johan tog obedd en stol, försökte konversera, men lyckades ej få något livligt samtal i gång, helst sektern vände honom ryggen och svarade kort.

— Det är ingen förnäm, tänkte Johan; det där är en knöl!

Och de var varandra antipatiska som två underklassare, som såg snett på varandras kravlande uppåt.

Vagnen stod för porten. Kusken hade livré och stod med mössan i handen. Sektern frågade Johan om han ville åka ini eller på kuskbocken, men detta i en sådan ton att Johan beslöt sig för att vara fin och förstå inviten till kuskbocken. Och där satte han sig bredvid kusken.

När piskan smällde och hästarna ryckte fram vagnen, hade han blott en tanke: bort från hemmet! ut i världen!

*

Vid första gästgivargård där de rastade steg Johan ner och gick fram till vagnsfönstret. Där förfrågade han sig i en lätt, förbindlig, kanske något förtrolig ton om herrskapets välbefinnande, och erhöll av patronus ett kort, skarpt svar, som avbet alla vidare närmanden. Vad ville detta säga?

De satt opp igen. Johan tände en cigarr och bjöd kusken, men denne svarade viskande, att han aldrig fick röka på kuskbocken. Därpå pumpade han kusken; fick reda på umgänge och dylikt, men försiktigt nog.

Mot aftonen anlände de till herrgården. Den låg på en trädbevuxen kulle och var en vit stenbyggnad med markiser. Taket var platt och dess trubbiga vinkel gav något italienskt åt byggnaden; men de där röd- och vitrandiga markiserna, det var själva finessen. Johan installerades med tre pojkar i en flygel, som bestod av en isolerad stuga av två rum, av vilka kusken bebodde det yttre.

Efter åtta dagars vistelse på stället hade Johan upptäckt att han var tjänare, med en ganska obehaglig ställning. Hans fars dräng hade bättre rum och eget rum; hans fars dräng rådde om sin person, sina tankar, någon stund på dagen; Johan aldrig. Natt och dag skulle han vara med barnen, leka med dem, läsa med dem, bada med dem. Tog han sig ett ögonblick ledigt och någon av herrskapet fick se honom, så frågades genast: var är barnen? Pojkarna hade vanligen sprungit ner till statfolkets, men där fick de ej vistas för åns skull, som rann där förbi. Han levde i en evig oro för att något skulle vara i olag. Han var ansvarig för fyra personers uppförande; sitt eget och tre pojkars. Varje anmärkning på dem föll på honom. Ingen jämnårig att tala med, ingen ungdom. Inspektoren var i arbete hela dagen och syntes aldrig till.

Men det fanns två saker, som gav ersättning: naturen, Södertörnsnaturen, och friheten från hemmet. Friherrinnan behandlade honom mera förtroligt, nästan moderligt, och roade sig att konversera om litteratur med honom. Då hade han stunder, då han kände sig som vederlike och överlägsen genom sin beläsenhet, men bara sektern kom hem var han barnpiga.

Skärgårdslandskapet hade för honom större behag än Mälarens stränder, och de trolska minnena av Drottningholm och Vibyholm bleknade. Året förut hade han på en tiraljering med skarpskyttarna vid Tyresö kommit upp på en höjd. Där var djup granskog. De kröp mellan blåbärsris och enbuskar, tills de kom ut på en brant klipphäll. Då öppnade sig plötsligt en tavla, som kom honom att frysa av förtjusning. Fjärdar och holmar, fjärdar och holmar, långt, långt ut i det oändliga. Han hade, fastän stockholmare, aldrig sett skärgården förr och visste ej var han var. Den tavlan gjorde ett sådant intryck som om han återfunnit ett land, han sett i vackra drömmar, eller i en föregående existens, som han trodde på, men ej visste något om. Jägarkedjan drog sig åt sidan in i skogen, men Johan satt kvar på branten och tillbad, det är ordet. Den fientliga kedjan hade nalkats och gav eld; det susade om öronen; han gömde sig; han kunde inte gå därifrån.

Detta var hans landskap, hans naturs sanna miljö; idyller, fattiga, knaggliga gråstensholmar med granskog, kastade ut på stora, stormiga fjärdar och med det oändliga havet som bakgrund, på vederbörligt avstånd. Han stannade också vid denna kärlek, som icke kunde förklaras i egenskap av den första; och varken Schweiz Alper, Medelhavets olivkullar eller Normandies falaiser kunde undantränga den rivalen.

Nu var han där i paradiset, ehuru något för långt in; stränderna vid Sotarskär var gröna, feta betesmarker under ekars skugga, och fjärdar öppnade sig utåt Mysingen, men på långt håll. Vattnet var rent och salt; det var nytt.

Under strövtågen med bössa och hundar och pojkar kom han ner till stranden en vacker solskensdag. På andra sidan sjön låg ett slott. Ett stort, gammaldags stenslott. Han hade upptäckt att han inte bodde i annat än en gård och att hans herre var ofrälse och bara arrendator.

— Vem bor i det slottet? frågade han gossarna.

— Där bor morbror Vilhelm, svarade de.

— Vad heter han?

— Baron X.

— Brukar ni aldrig vara där?

— Jo, ibland.

Det fanns ett slott ändå, med en baron i. Hm! Johans promenader tog snart sin reguljära väg neråt stranden, därifrån han såg slottet. Det var omgivet av park och en stor trädgård. Hemma hade de ingen trädgård. Det där var annat, det!

En vacker dag underrättar friherrinnan honom att han dagen därpå skulle följa gossarna till barons, där de skulle stanna hela dan. Hon och sektern ville stanna hemma, och han skulle representera huset, tillade hon skämtsamt.

Därpå frågade han om sin toalett. Jo, han kunde åka dit i sina sommarkläder, men ta svarta rocken på armen och gå in i lilla gobelängsrummet på nedre botten och kläda sig till middan. Gobelängsrummet! Hm! Skulle han kanske ta handskar? Hon skrattade. Nej, visst inga handskar. Han drömde hela natten om baronen och slottet och gobelängsrummet. På morgonen körde ett höskak opp på gården för att hämta ungdomen. Ä! Det tyckte han inte om. Det påminde om klockargården.

Och så åkte de. Kom upp till en stor lindallé, körde opp på gården och stannade framför slottet. Det var verkligen ett slott från Dahlbergs Suecia, och det daterade sig från unionstiden. Från en berså hördes välbekanta smällar av brädspelsbrickor. Och därifrån framträdde en medelålders herre i slankiga hamptygs-kläder. Hans ansikte var icke nobelt, mera borgerligt snarare, med ett grågult skepparskägg. Han hade ör-ringar också. Johan stod med hatten i handen och presenterade sig. Baronen hälsade vänligt och bad honom stiga in i bersån. Där stod ett brädspel, vid vilket satt en liten gubbe med frukostskärm på mössan och som var mycket tillmötesgående.

Han presenterades som rektor från en småstad. Johan fick konjak och förhördes i nyheter från Stock-holm. Han var djupt inne i teaterskvaller och dylikt och åhördes med stor uppmärksamhet. Nå, se där har vi't, tänkte han, de riktiga förnäma är mycket mer demokra-tiska än de oriktiga.

— Så, sade baron, förlåt herr... Jag minns inte namnet... Ja, så var det. Är ni släkt till Oskar?

— Det är min far!

— Å, Herre Gud, är det så! Det är ju min gamla vän, sedan jag förde Strängnäs i världen! Va! Johan trodde inte sina öron! Hade baron fört ångbåt? Ja, det hade han. Men gubben gick på och ville ha reda på Oskar och hans öden.

Johan tittade på slottet och undrade om det var baron själv. Så kom friherrinnan ner, och hon var lika enkel och vänlig som baron. Det ringde till middan.

— Nu ska vi ta en sup, sa baron, kom med nu.

Johan svängde av i stora förstugan och ville ta på bonjouren bakom en dörr, men det fick inte bli något av. Han gjorde det ändå, ty friherrinnan hade sagt det. Så kom de upp i stora salen. — Jo, det var ett riktigt slott. Stenlagt golv; taket skuret i trä; fönsternischer, djupa som små rum; en spis, som rymde ett mått ved; ett klavér på tre fötter; en krona med glas som pepparkakor; och fullt med svarta porträtt på väggarna. Det var alldeles riktigt.

Middagen gick och Johan kände sig hemmastadd. På eftermiddagen spelade han bräde med baron och drack toddy. Alla artigheter han tänkt ut inställdes, och han var väl nöjd med sin dag när den var till ända.

I stora allén vände han sig om och såg på slottet. Det såg mindre ståtligt ut nu; nästan tarvligt. Det anstod honom bättre som sådant, men det där sagoslottet från andra stranden var roligare att se upp till, bort till. Nu hade han ingenting att se upp till mer. Men han var icke längre nere. Kanske det var roligare ändå att ha någonting däruppe att koxa efter!

När han kom hem, examinerades han av friherrinnan. Vad tyckte han om baron? — Han var snäll och nedlåtande. — Här var Johan redan så klok att han förteg bekantskapen med fadern. De skulle nog få veta det ändå, tänkte han. Emellertid kände han sig varmare i kläderna och var inte så mjuk mera.

Han lånade en dag ridhäst av sektern, men red så vilt att nästa gång var hästarna upptagna. Då skickade han en statpojke ut i socknen och hyrde en häst. Det var stolt att sitta högt och ränna fram med fart, och han kände sina krafter liksom skarvade.

Illusioner hade ramlat, men det kändes lugnt att vara i nivå, utan att ha behövt rycka ner någon. Han skrev hem till brodern och skröt. Men fick ett nosigt svar. Som han var ensam och inte hade någon att tala med, skrev han dagbok till vännen. Denne hade fått kondition hos en handlande vid Mälaren, där det fanns flickor, musik, ungdom och goda middagar. Johan önskade ibland vara i hans ställe och han kände att han kommit in i något jolmigt. I dagboken sökte han dikta upp verkligheten och lyckades även erövra vännens avund.

Historien om barons bekantskap spred sig, och friherrinnan ansåg sig skyldig tala illa om sin bror. Johan hade dock nog förstånd att inse det här förelåg en detalj ur en fideikommiss-tragedi. Som den icke rörde honom, brydde han sig inte om att forska i den.

*

Vid ett besök i prästgården råkade komministern få höra om Johans prästerliga planer. Som kyrkoherden upphört predika för åldersvaghet, var hans vikarius den enda tjänstgörande. Och han fann sysslan tung; därför falkade han efter unga studerande, som var angelägna få debutera. Han frågade Johan om han ville predika. — Men han var icke student. — Det gjorde ingenting. — Hm! Det var något att tänka på!

Komministern tog fast på honom. Här hade så många studenter och gymnasister predikat förut, ja, kyrkan hade fått en viss ryktbarhet för att den berömde skådespelaren Knut Almlöf predikat där i sin ungdom. — Menelaus! I Sköna Helena? — Just han! — Och så slogs evangelieboken upp. Postillor lånades och Johan lovade infinna sig på fredagen för att provpredika.

Han skulle sålunda ett år efter konfirmationen upp i predikstolen och tala på vår Herres vägnar, och de skulle sitta som andäktiga, ödmjuka åhörare, hans husbonde, baronen och fröknarna och patronerna. Redan vid målet, så hastigt, så utan prästexamen, ja utan studentexamen, och kappa och krage skulle han få låna och vända på timglaset och säga Fader Vår och läsa upp lysningar. Det steg honom åt huvet, och han reste hem en halv aln längre, med full visshet om att han icke mera var någon pojke.

Men när han kom hem vaknade betänkligheterna. Han var fritänkare. Var det hederligt att gå fram och hyckla? Nej, nej! Men skulle han avstå därför? Det var för stort offer. Äran vinkade, och kanske han kunde så ut något frö av fria tankar, som skulle kunna gro.

Ja, men det är ohederligt! Han såg nämligen alltid med sin gamla egoistmoral på den handlandes avsikt, icke på handlingens nytta eller skada. Det var nyttigt för honom att predika, det var inte skadligt för andra att höra ett nytt, sant ord, alltså... Men det var icke hederligt! Han kom inte ifrån det. Han lättade sitt samvete för friherrinnan.

— Tror ni att prästen tror på allt vad han säger?

Det var prästens sak, men Johan, han kunde icke.

Slutet blev att han tog en promenad (till häst) till komministergården och bekände kort. Komministern såg misslynt ut att behöva mottaga förtroendet.

— Ja, men herrn tror väl på Gud, i Jessu namn!

— Ja visst gör jag det!

Nå så *tala* bara inte om'et. Biskop Wallin nämnde aldrig Jesu namn i sina predikningar. Men rör inte i't bara; låg mig slippa veta't.

— Ja, jag ska göra mitt bästa, sa Johan, glad att ha räddat sin heder och inte mindre sin ära!

De tog en sup och en smörgås, och saken var avgjord.

Det var något rart nu att sitta med sitt Gävle vapen och sina postillor för sig och höra sektern fråga efter magistern. — Och så en piga, som svarade: magistern sitter och skriver på sin predikan.

Nu hade han texten för sig att begrunda. Det var sjunde söndan i Trefaldighet, första årgången, och orden lydde i sin helhet som följer:

"Jesus sade: nu är människones son förklarad, och Gud är förklarad i honom. Är nu Gud förklarad i honom så skall ock Gud förklara honom i sig själv; och skall snart förklara honom."

Det var allt. Johan vände ut och in, in och ut, men han fann ingen mening. Det var "tjockt", tyckte han. Men det vidrörde den ömmaste punkten: Kristi gudom. Om han nu tog mod till sig och förklarade bort Kristi gudom, så hade han gjort en stor bragd. Den lockade honom och med Parkers hjälp diktade han en lovsång på prosa över Kristus såsom Guds son, samt framkom ytterst försiktigt med att vi alla var Guds söner, men Jesus, Guds utvalde, käre son, i vilken han hade ett gott behag, och vars läror vi skulle höra. Men det var bara inledningen, och evangeliet lästes ju opp efter inledningen. Vad skulle han då predika om? Nu hade han redan fredat sitt samvete genom att uttala sin övertygelse om Kristi gudom. Febern glödde, modet växte, och han kände att han hade en kallelse att uppfylla. Han ville dra svärd mot dogmerna, nådens ordning och läseriet. Det var en uppgift.

När han så kom till den avdelning i predikan, där han skulle efter textens uppläsning säga: Med anledning av upplästa heliga text vill vi på denna korta stund taga till betraktelseämne etc., så skrev han: Som dagens text icke ger oss anledning till några vidare betraktelser, så vill vi på denna korta stund betrakta ett ämne, som är av större vikt än något annat . . . Och så betraktade han Guds nådaverk i omvändelsen.

Det var två angrepp: ett mot textkommissionen, ett mot kyrkans lära om nådavalet.

Han talade först om omvändelsen såsom en allvarsam sak, som fordrade sina offer, och beroende på mänskans fria vilja (det hade han icke klart för sig). Han tummade på nådens ordning och slutligen slog han upp himmelrikets portar för alla: Kommen till mig, I alle, som arbeten och ären betungade; publikaner och syndare, skökor och ståthållare, alla skulle in i himlen, till och med rövaren fick evangeliet. I dag skall du vara med mig i paradiset. Detta var Jesu evangelium för alla, och ingen skulle tro sig gå med nycklarna till himlen och inbilla sig ensam vara ett Guds barn (det fick läsarna!), utan nådens dörrar stod öppna för alla, alla!

Han blev nu allvarsam och kände sig som en missionär.

På fredagen infann han sig i kyrkan och från predikstolen fick han läsa upp några ställen ur predikan. Han valde de oskyldigaste. Därpå repeterades bönerna under det komministern stod under orgelläktaren och ropade: högre, långsammare! Han var approberad, och de tog en sup och en smörgås.

På söndagen var kyrkan full av folk. Johan kläddes i kappa och kragar inne i sakristian. Ett ögonblick tyckte han det var löjligt, men så kom ångesten över honom. Han bad till den ende, sanne Guden om hjälp, när han nu skulle dra svärd för hans sak mot tusenårig villfarelse, och när orgelns sista ton ljudit ut, gick han frankt upp för predikstolen.

Allt gick i ordning. Men när han kom till stället: "Som dagens text icke ger oss anledning till några betraktelser" och han såg de många vita fläckarna, som var anleten, röra sig nere i kyrkan, darrade han. Men blott ett ögonblick. Så tog han i, och med tämligen stark och säker stämma läste han opp sin predikan. När han kom mot slutet var han rörd själv över de vackra läror han förkunnade, så att tårarna skymde skriften på papperet.

Han andades ut. Läste alla bönerna, tills orgeln tog upp, då han gick ner. Där stod komministern, som tog emot honom med ett tack, men, men, det duger inte att gå från texten; aj, aj, om konsistorium fick veta det. Men det var nog ingen, som märkte det, skulle vi hoppas. Om själva innehållet var ingenting att anmärka.

Och så blev det middag i prästgården; och där lektes med flickor och dansades, och Johan var liksom litet hjälten för dagen.

— Det var en mycket bra predikan, sa flickorna, för den var så kort.

— Han hade läst alldeles för fort. Och så hade han hoppat över en bön.

— Alla barn i början, sa komministern.

*

På hösten återvände Johan med gossarna till staden för att bo hos dem och läsa läxor med dem. De gick i Klara skola. Återigen en bakläxa. Samma Klara skola, samma rektor, samma elaka lärare i latinet. Johan läste och durkade samvetsgrant med gossarna, förhörde dem och kunde svära på att läxorna var överlästa. Och ändock kom anmärkningsboken hem, och i den läste gossarnas far så och så många icke överlästa läxor.

— Det är lögn, sa Johan.

— Ja, men det står här i alla fall, sa fadern.

Det var ett grymt arbete, och samtidigt läste han själv på studentexamen.

När höstterminen var slut, for man åter till landet. Man satt vid spisen, knäppte nötter, en hel säck, och läste Frithiofs saga, Axel och Nattvardsbarnen. Kvällarna var långa och odrägliga. Men Johan upptäckte en nykommen inspektor, som behandlades nära på som dräng. Detta retade Johan att formera bekantskap, och på dennes rum bryggde de punsch och spelade kort. Friherrinnan tillät sig anmärka att inspektoren icke var något sällskap för Johan.

— Varför det?

— Han saknar ju bildning!

— Hm! Det var inte så farligt.

Hon framkastade även att det vore henne behagligt om informatorn valde familjens sällskap om aftnarna eller åtminstone vistades på gossarnas rum. Han före-

193

drog det senare, ty där oppe var unket, och han var ledsen på att läsa högt och konversera.

Han satt nu på sitt och gossarnas rum. Dit kom inpektoren och de spelade sitt parti. Gossarna tiggde och bad att få vara med. Varför inte? Johan hade i sitt hem spelat whist med fadern och bröderna i alla sina dagar, och det oskyldiga nöjet användes som uppfostringsmedel i disciplin, ordning, uppmärksamhet och rättvisa, och han hade aldrig spelat om pengar. Varje fusk tillbakavisades ögonblickligt, otidigt jubel över en vinst nertystades, missnöjda miner över en förlust begabbades.

Saken fick passera, och inga anmärkningar gjordes, ty herrskapet var belåtet med att gossarna var sysselsatta och att de slapp dem. Men umgänget med inspektorn tyckte de ej om. Johan hade en gång på sommaren satt upp en trupp av sina elever och statarpojkar, vilka han exercerade på fältet. Förbud utfärdades mot umgänge med statarbarn.

— Var klass skall hålla sig för sig, sa friherrinnan.

Men Johan kunde inte förstå varför, sedan klasskillnaden med 1865 var upphävd!

Ovädret drog emellertid ihop och var färdigt bryta löst. En småsak tände på.

En morgon stimmade herrn i huset efter sina bortkomna körvantar. Han gick på äldsta pojken på misstankar. Denne nekade och skyllde på inspektorn, angivande tidpunkten, en resa till prästgården, då denne skulle ha haft vantarna. Inspektoren blir uppkallad.

— Herrn har tagit mina körvantar, vad är det för slag?

— Nej, det har jag visst inte!

194

— Vad för slag? Hugo påstår det!

Johan, som var närvarande, stiger oombedd fram och säger: Det ljuger Hugo. Det är han själv som haft dem.

— Vad fan säger den för slag? (En nick åt inspektoren att gå).

— Jag säger som sant är!

— Hur understår herrn sig beskylla min son i en drängs närvaro?

— Herr X. är ingen dräng! Och för övrigt är han oskyldig!

— Jo, ni är oskyldiga, som sitter och spelar kort tillsammans och super med gossarna! Det är snyggt, det!

— Varför har ni inte anmärkt det förut, skulle ni fått veta att jag inte super med gossarna!

— Ni, ni! Djävla pojke! Ni för er.

— Herrn kan skaffa sig en annan pojke till lärare åt sina pojkar, eftersom herrn är så snål att inte vilja ta en vuxen person. Och så gick han.

De skulle resa till stan samma dag, ty jullovet var slut. Hem alltså, hem igen. Huvudstupa tillbaka i helvetet, hånad, stukad, sju gånger värre sen han skrutit med sin nya ställning och gjort jämförelser med hemmet. Han grät av ilska, men han kunde ej gå tillbaka efter en sådan skymf.

Det kom bud efter honom från friherrinnan. Hon fick vänta en stund. Därpå ett bud till. Han gick upp morsk. Hon var ganska blid. Bad honom lova att stanna några dagar! Stanna hos dem tills de hunnit få ny lärare. Han lovade, när hon bett ihållande. Hon skulle åka med gossarna in.

Så körde slädan fram. Sektern stod bredvid och sade: herrn kan sitta på kuskbocken.

— Jag vet nog min plats, sade han.

Emellertid måtte sektern mera ha fruktat en kompromiss ini slädan med hustrun än han hade lust att förödmjuka, ty vid första rast bad friherrinnan honom stiga in. Nej, det ville han inte!

I stan stannade han åtta dagar. Under tiden hade han skrivit hem ett något spanskt brev i världsmannaton, som inte behagade gubben oaktat han smickrat honom.

— Jag tycker du borde ha frågat om du fick komma hem först, sa han.

Ja, det hade han rätt i. Men sonen hade aldrig tänkt sig hemmet annat än som ett hotell, där man åt och bodde gratis.

Och så var han hemma igen.

Genom en outgrundlig naivitet hade Johan låtit förmå sig att ännu någon tid gå och läsa läxorna med sina forna elever. — En kväll ville Fritz dra honom med ut på ett kafé.

— Nej, sa Johan, jag ska gå på lektion.

— Vart?

— Till kunglig sekterns!

— Va! Har du inte slutat med dem än?

— Nej, jag har lovat fortsätta tills de får en informator.

— Vad har du för det då?

— Vad jag har? Jag har haft bostad och mat!

— Ja, men vad har du nu då, när du inte har bostad och mat?

— Hm! Det har jag inte tänkt på!

— Du är en djävla narr, som går och läser gratis med

rikt folks barn! Så, nu går du med mig, och sätter aldrig din fot där mer!

Johan kämpade en strid på trottoaren.

— Jag har lovat!

— Du ska inte lova! Kom nu med och skriv ett återbud!

— Jag måste ta avsked!

— Det behövs inte! Man hade lovat dig, det ingick i villkoren, en gratifikation till julen, men du fick ingenting; och så låter du behandla dig som en dräng. Kom nu och skriv! Han släpades in på Andalusiskan. Amanda tog fram papper och penna, och efter vännens diktamen skrev han att han i anseende till stundande examen icke vidare hade tid att ge lektioner!

Han var fri!

— Men jag skäms, sa han.

— Vad skäms du för?

— Jo, jag skäms för att jag varit oartig!

— Äh prat! Så — en halv punsch!

10. Karaktären och ödet

Tiden hade ryckt opp sig och var livaktig. Utställningen 66 var en nyhet och dessutom en yttring av realistisk skandinavism. Nationalmuseets öppnande, Dietrichsons föreläsningar, Konstföreningens bildande gav estetiken en ny fart. Valen till kamrarna 67 utgjorde en överraskning, som väckte hela nationen till eftertanke, ty reformen hade vänt opp och ner på samhället så grundligt, att botten kom opp.

Svaga dyningar lät märka sig nere i läroverkets högsta klass, där nu unga män intresserade sig för allmänna frågor. Sålunda stod svarta tavlan en morgon fullskriven med namn, börjande med Adlersparre. Rektorn, som inte läst morgontidningen, frågade vad denna namnlista betydde. Det var Stockholmsvalen till Andra kammaren. Han gjorde därpå en revy och utbredde sig om kammarens sammansättning, yttrande farhågor över den nya representationens blivande gagn för land och rike. Man drog redan öronen åt sig; och förtjusningen var över.

Klassen var även indelad i frihandlare och protektionister, och Gripenstedts tal lästes.

Frökenreformen diskuterades ivrigt. Johan, som nyss sett tre gamla fröknar riva hårflätorna av sig och i fin societet förbanna "tidsandan", som stal från hederligt folk vad deras förfäder ärligt förvärvat, tyckte att det var en god reform. Den tog icke från

198

fröknarna något, ty de fick behålla sin titel, men den gav samma rätt åt alla. Det var med den titeln som med saligheten. Ingen aktade den, när den blev upplåten åt alla.

— Då ska pigorna också kallas mamseller, skrek fröken.

— Ja, svarade Johan, minst!

Men den reformen låter ännu vänta på sig, av okända skäl. De skulle naturligtvis kallas fröknar, men man kunde åtminstone upphöja dem till mamseller först, för att ej ådraga dem ett oberättigat löje.

Fritänkeriet antog dimensioner. Johan hade efter predikningen känt sig hava ett kall, en plikt, att utbreda den nya läran och stå för den. Han började därför att utebli från bönen, och satt kvar i klassen under det utryckning skedde i bönrummet. Rektorn kom in och ville driva ut honom och medbrottslingar. Johan svarade att hans religion förbjöd honom deltaga i en främmande kult. Rektorn vädjade till lagar och författningar. Johan svarade att judarna slapp bön. Rektorn bad honom vackert för exemplets skull att närvara. Han ville icke ge dåligt exempel. Rektorn bad innerligt, gemytligt, för gammal bekantskaps skull. Johan gav efter. Men han sjöng inte med i psalmerna och inte hans kamrater heller. Då blev rektorn ursinnig och höll ett strafftal; utpekade Johan och smädade honom. Johan svarade honom med att organisera en strejk. Han och likasinnade gick nu regelbundet så sent till skolan, att bönen var slut när de anlände. Kom de ändock för tidigt, satt de i förstugan och väntade. Där på vedlåren träffade de lärare och språkade med dem om ditt och datt. Rektor upptäckte detta. För att krossa de upproriska påfann han, att när bönen var slut och skolan församlad låta öppna tamburdörren och inkalla revolutionsmännen. Dessa defilerade nu med fräcka miner och under en skur av ovett genom bönsalen, men utan att stanna. Slutligen tog de detta för vana, att självmant stiga in och ta ovettet, när de tågade genom stora bönsalen.

Rektorn fattade agg till Johan och visade tecken till att vilja kugga honom i examen. Johan satte hårt mot hårt och läste nätter och dar.

Teologiska lektionerna urartade nu till disputationer med läraren. Denne var präst och ateist och var road av invändningarna, men även han tröttnade och befallde snart att man skulle svara med läroboken.

— Hur många personer i gudomen?

— En!

— Ja, men vad säger Norbeck?

— Han säger tre!

— Nå, så säg det, då!

I hemmet var det tyst. Johan fick vara i fred; man såg att han var förlorad, och det var för sent att gripa honom. En söndag gjorde fadern ett försök i den gamla stilen, men fick svar på tal.

— Varför går du aldrig i kyrkan mer? frågade han.

— Vad ska jag där att göra?

— En god predikan har alltid något gott med sig.

— Predika kan jag göra själv.

Klippt!

Läsarna lät en präst hålla förbön för Johan i Betlehemskyrkan, sedan de fått se honom i skarpskytteuniform en söndagsförmiddag.

*

I maj 67 avlade han studentexamen. Underliga saker kom i dagen. Det fanns karlar med skägg och glasögon, som kallade halvön Malacka för Sibirien och som trodde att östra indiska halvön var Arabien. Personer erhöll betyg i franska, som uttalade eu som y och inte kunde konjugera hjälpverben. Det var otroligt. Johan själv tyckte att han var starkare i latinet tre år förut. Historien skulle varenda en blivit kuggad i, om man inte haft nys om frågorna. Det var för mycket läst och för litet lärt. Kompendier i alla ämnen skulle ha gjort mera gagn och kunnat avsluta studentexamen i fjärde klassen. Men det var med studentexamen och är än, liksom med saligheten och frökentiteln, den skulle förlora sitt behag om den blev för alla; men nog skulle den bli behagligare för alla och mycket nyttigare.

När han om aftonen var approberad (det slutades med bön, som skulle läsas av en fritänkare, som stapplade på Fader vår, vilket oriktigt tillskrevs sinnesrörelse), drogs han av kamraterna ner till Storkyrkobrinken, där de köpte honom en vit mössa (han hade aldrig pengar). Därpå gick han ner till kontoret att glädja fadern. Denne mötte han i förstugan, på väg hem.

— Jaså, det är gjort nu, sa fadern.
— Ja!
— Och mössan redan?
— Den har jag tagit på kredit!
— Gå in till kassörn, så får du betala den.
Och så skildes de.

Ingen lyckönskan; intet handslag. Nå, det var den gamles isländarnatur att inte kunna yttra ömmare känslor.

Johan kom hem, då alla satt vid aftonbordet. Han var

glad och hade druckit punsch. Men hans glädje stämde ner. Alla teg. Syskonen gratulerade inte. Då blev han förstämd och teg själv. Gick direkt från bordet ut, till stan, till kamraterna. Och där var glädje. Barnslig, dum, överdriven glädje, med för stora förhoppningar.

*

Om sommaren gav han lektioner i stor skala och var hemma. Med pengarna skulle han resa till Uppsala om hösten och ta graden. Prästen lockade honom icke mer; det hade han lagt bakom sig, och för övrigt stred det mot hans samvete att avlägga prästed.

Denna sommar var han för första gången hos en flicka. Han kände sig snopen, som så många andra. — Jaså, det var alltsammans! — Det var kostligt att det skedde mitt emot Betlehemskyrkan. Varför hade det emellertid inte skett förut, så hade så många års kval varit besparade, så mycken kraft innehållen. Det var emellertid rätt lugnt efteråt, och han kände sig sund, glad, som om han fyllt en plikt.

*

Om hösten reste han till Uppsala. Gamla Margret packade hans kappsäck, lade ner kokkärl och kuvert. Därpå tvang hon honom att låna femton kronor. Av fadern fick han ett fodral med cigarrer och uppmaning att hjälpa sig själv. Själv medförde han åttio kronor, som han förvärvat på lektioner och med vilka han skulle göra sin första termin.

Världen stod honom nu öppen, och han hade ju inträdeskort på hand. Återstod bara att komma in. Bara!

*

202

Människans karaktär är hennes öde, var denna tid ett stående och mycket godkänt talesätt. Nu, när Johan skulle ut i världen och göra sitt öde, använde han många lediga timmar på att göra upp sitt horoskop, utgående ifrån sin karaktär. Han trodde nämligen att han hade sin karaktär färdig. Samhället hedrar med namnet karaktär sådana, som sökt och funnit sin ställning, tagit sin roll, utfunderat vissa grunder för sitt uppförande och slutligen handlar därefter automatiskt.

En s.k. karaktär är en mycket enkel mekanisk inrättning; han har bara en synpunkt på de så ytterst invecklade förhållandena i livet; han har beslutat sig för att för livet ha en och samma mening för en bestämd sak; och för att icke göra sig skyldig till karaktärslöshet ändrar han aldrig mening, huru enfaldig eller orimlig den än är. En karaktär måste följaktligen vara en tämligen vanlig människa och vara vad man kallar litet dum. Karaktär och automat tyckes något så när sammanfalla. Dickens berömda karaktärer är positivdockor, och karaktärerna på scenen måste vara automater. En väl tecknad karaktär är liktydig med en karikatyr. En karaktär skall dessutom veta vad han vill. Vad vet man om vad man vill? Man vill eller vill inte, det är allt. Söker man reflektera över sitt viljande, då upphör vanligen viljan. I samhället och livet måste man alltid betänka följderna av sin handling för sig och andra och måste därför reflektera. Den som handlar ögonblickligen är en oklok och en självisk, en naiv, en omedveten; det är sådana, som går fram i livet, ty de ser ej på vad olägenheter deras handlingar kan ha för andra, utan bara på handlingens fördel för dem själva.

Johan undrade, med den vana han fått genom det kristliga njurrannsakandet att självskåda sig, om han hade en karaktär, passande för en man, som ville göra sin framtid.

Han erinrade sig att pigan, som han slagit, därför att hon blottat hans kropp under sömnen, efter händelsen sagt: det är karaktär på den pojken! — Vad menade hon med det? — Hon hade sett honom äga handlings-kraft nog att efter en skymf gå ut i parken, skära en käpp och straffa henne. Hade han gått den ordinarie vägen och skvallrat för föräldrarna, hade hon tyckt att han var en mes. Modern däremot, som då levde, hade dömt hans handling annorlunda: hon kallade honom hämndgirig. Där hade han redan två synpunkter på samma sak och han höll sig naturligtvis vid den, som var minst hedrande, ty den trodde han mest på. Hämnd? Det var ju straff? Hade han rätt att straffa? Rätt? Vem hade rätt? Föräldrarna hämnades ju alltid! Nej, de straffade. De hade alltså en annan rätt än han, och det fanns två rätt.

Jo, han var nog hämndgirig. En pojke på Klara kyrkogård hade öppet sagt att Johans far stått i hals-järn. Det var en skymf mot hela släkten. Som Johan var svagare än pojken. uppbådar han sin äldre bror, som kunde slåss, och tillsammans utkräver de blodshämn-den med några snöbollar. Ja, de utkrävde hämnden ändå längre, ty de klådde hans yngre bror också, som var relativt oskyldig, men som såg nosig ut.

Det var nog gammal god släkthämnd det där, med alla dess symptom. Vad skulle han ha gjort? Skvallrat för magistern. Nej, det gjorde han aldrig. Han var alltså hämndgirig. Det var en graverande tillvitelse.

Men så började han tänka efter. Hade han hämnats på fadern för de orättvisor han tillfogat honom, eller på styvmodern? Nej! Han glömde och drog sig undan.

Hade han hämnats på lärarna i Klara genom att skicka dem stenlådor till julklapp? Nej! Var han då så sträng mot andra och var han så småaktig vid dömandet av deras handlingssätt mot honom? Nej bevars, han lät behandla sig ganska legärt, var lättrogen och kunde narras till vad som helst, bara han inte kände tryck, förtryck. Kamrater hade mot löften om byte narrat av honom hans herbarium, hans insektssamling, kemiska apparater, hans indianböcker. Hade han krävt dem, eller chikanerat dem? Nej, han skämdes, på deras vägnar, och höll till godo. Vid en termins slut hade fadern till en elev glömt betala Johan. Han skämdes att kräva honom och först ett halvt år senare måste han på faderns uppmaning taga ut sin fordran.

Detta var ett egendomligt drag hos Johan att han identifierade sig, led på andras vägnar, blygdes. Han skulle, om han levat under medeltiden, ha stigmatiserat sig.

Om en bror sa en dumhet eller smaklöshet, så skämdes Johan. I kyrkan hörde han en kör av skolbarn som sjöng gruvligt falskt. Johan gömde sig i bänken och skämdes.

Han slogs med en kamrat och lyckades ge denne ett starkt slag för bröstet, men när han såg gossens ansikte förvridas av smärta, föll han i gråt och räckte honom sin hand. När någon bad honom om en sak, som han högst ogärna ville, led han på dens vägnar han inte kunde göra till viljes.

Han var feg, såg inte någon gå ohörd ifrån sig av fruktan att få se en missnöjd. Han var ännu mörkrädd, rädd för hundar, hästar, främmande mänskor. Men han kunde vid behov vara modig, såsom då han revolterade i skolan och det gällde hans studentexamen, eller då han opponerade mot fadern.

En människa utan religion är ett fä, stod det i gamla abc-boken. Nu, när man upptäckt att fäna är de mest religiösa och att den som har vetande icke behöver religion, så blir religionens gagnande verksamhet betydligt reducerad. Genom att oavlåtligt sätta kraften utom sig, i Gud, hade ynglingen förlorat kraften och tron på sig själv. Gud hade ätit sönder hans jag. Han bad alltid och alla stunder, då han var i nöd. Han bad i skolan, när frågan kom, han bad vid spelbordet, när korten gavs. Religionen hade fördärvat honom, ty den hade uppfostrat honom till himlen i stället för till jorden, familjen hade förstört honom, ty den hade bildat honom för familjen i stället för till samhället, och skolan hade utvecklat honom för universitetet i stället för till livet.

Han var villrådig, svag. Om han skulle köpa tobak, frågade han vännen vilken sort, och han stannade i valet mellan Hoppet och Gävle vapen, tills han slutligen tog Chandeloup. Därför föll han i händerna på vänner. Det att veta sig vara avhållen borttog fruktan för det okända, och vänskapen stärkte honom.

Nycker förföljde honom ännu. En dag, under det han var i kondition på landet, reste han in till staden för att därifrån fara ut och hälsa på Fritz. När han kom till stan, for han inte ut, utan blev liggande på en säng hemma hos föräldrarna, under många timmars kamp om huruvida han skulle fara eller ej. Han visste att vännen väntade honom, längtade själv få träffa honom, men reste ej. Dagen därpå for han tillbaka till sitt herrskap, skrev ett jämrande brev till Fritz och sökte förklara sig. Men Fritz blev ond och förstod sig inte på nycker.

I all sin svaghet kände han stundtals en ofantlig fond av kraft, som gjorde att han trodde sig om allt. Vid tolv års ålder såg han en fransk ungdomsbok, som brodern hemfört från Paris.

— Den ska vi översätta och ge ut till julen, sa han.

De översatte, men sedan visste de ingenting om proceduren, och boken blev liggande.

Han fick fatt i en italiensk grammatika och läste italienska.

På konditionen tog han sig för, av brist på skräddare, att ändra ett par byxor. Han sprättade upp sömmarna, sydde om dem, pressade med stora stallnyckeln. Han lagade också sina skor.

När han hörde syskonen spela kvartetter var han aldrig nöjd med utförandet. Han kände lust att springa upp och ta instrumenten från dem och låta dem höra hur det skulle vara.

När han övade sin sångstämma begagnade han violoncellen och tog ut på den. Bara han fått veta vad strängarna hette.

Johan hade lärt sig tala sanning. Småljög, som alla barn, av självförsvar eller mot näsvisa frågor, men hade en brutal förnöjelse att mitt i en konversation, där man lirkade med sanningen, säga rent ut vad alla tänkte. På en bal där han teg, frågade hans dam honom om han var road av att dansa.

— Nej, inte alls.

— Nå, varför dansar ni då?

— Därför att jag är så illa tvungen.

Han hade stulit äpplen, som alla pojkar, och det graverade honom ej, och han gjorde inga hemligheter av det. Det var hävd på det.

I skolan hade han aldrig haft någon affär av ledsam art. En gång sista dagen på termin hade han brutit ner klädhängare och rivit sönder gamla skrivböcker i sällskap med andra. Han kom fast, ensam. Saken var ett okynne, ett utbrott av vild glädje, och togs inte vidare tragiskt.

Nu, när han gått till doms med sig, började han samla andra mänskors omdömen om sig, och nu först häpnade han över de skiftande domarna. Fadern tyckte han var hård; styvmodern att han var elak; bröderna att han var besynnerlig; pigorna hade lika många omdömen, som de var talrika; den sista älskade honom och ansåg föräldrarna behandla honom illa och att han var snäll; väninnan tyckte först han var känslofull, vännen ingenjören först att han var ett älskligt barn; vännen Fritz att han var en dysterman, full av ysterheter; mostrarna att han hade gott hjärta, mormor att han hade karaktär; hans älskarinna på Stallmästargården avgudade honom naturligtvis; lärarna i skolan visste icke riktigt var de hade honom. Mot de morska var han morsk, mot de hyggliga hygglig. Och kamraterna? Det sade de aldrig; smicker begagnades ej, men ovett och slag, när det behövdes.

Johan undrade nu om han var en så mångsidig figur, eller om omdömena var så mångsidiga. Var han falsk, visade han sig annorlunda mot de ena än mot de andra? Ja, det hade styvmodern väder på. Hon sa alltid att han gjorde sig till, när hon hörde något gott om honom.

Ja, men alla gjorde sig till. Hon, styvmodern, var vänlig mot sin man, hård mot styvbarnen, mjuk mot sitt barn, stod på tå för husvärden, var högfärdig mot pigorna, neg för läsarprästen, log mot de mäktiga, grinade mot de vanmäktiga.

Det var ackommodationslagen, som Johan icke kände. Mänskorna var så; det var en anpassningsdrift, vilande på beräkning och övergången till omedveten eller reflexrörelse. Som ett lamm mot sina vänner, som ett lejon mot sina fiender.

Men när var man sann? Och när var man falsk? Var fanns jaget? Som skulle vara karaktären? Det fanns icke på ena eller andra stället; det var med på båda. Jaget är icke något ett självt; det är en mångfald av reflexer, ett komplex av drifter, begär, somliga undertryckta då, andra lössläppta då!

Ynglingens komplex var, genom många korsningar i blodet, stridiga element i familjelivet, rika erfarenheter ur böcker och brokiga upplevelser i livet, ett ganska rikt material, men oordnat. Han sökte ännu sin roll, eftersom han icke funnit sin ställning, och därför fortfor han att vara karaktärslös.

Han hade ännu inte kunnat besluta sig för vilka drifter som skulle undertryckas och hur mycket som av jaget skulle och måste offras för samhället, i vilket han nu gjorde sig i ordning att inträda.

Hade han kunnat se sig själv nu, hade han funnit att de flesta ord han talade var ur böckerna och kamraterna; hans gester från lärare och vänner; hans miner från släktingar, hans lynne från mor och amma, hans böjelser från far, farfar kanske. Hans ansikte bar inte några drag av mor eller far. Som han icke sett morfar eller farmor, kunde han ej döma om likhet därvidlag. Vad hade han då av sig själv och i sig själv? Ingenting. Men där fanns två grunddrag i hans själskomplex, som blev bestämmande för hans liv och hans öde.

Tvivlet! Han tog icke emot tankarna fullständigt kritiklöst, utan utvecklade dem, kombinerade dem. Därför kunde han inte bli automat, och icke inregistreras i det ordnade samhället.

Känslighet för tryck! därför sökte han dels minska det genom att höja sig i nivå, dels anlägga kritik på det högre, för att få se att det inte var så högt och alltså icke så eftersträvansvärt.

Och sådan gick han ut i livet! För att utveckla sig, och lika fullt alltid förbli sådan han var.

Om den nya nationalupplagan
av August Strindbergs Samlade Verk

Den upplaga av *Tjänstekvinnans son* del 1–2 som *En bok för alla* nu ger ut är en populär edition som bygger på John Landquists upplaga (via Gunnar Brandells edition) av detta verk i August Strindbergs *Samlade Skrifter* i 55 delar på 1910-talet. Det innebär framför allt två saker: dels att den utgår från texten hos Landquist, dels att den normaliserar (korrigerar och moderniserar) språket för att göra texten mera lättillgänglig för moderna läsare. I båda dessa avseenden är denna nya upplaga av *Tjänstekvinnans son* karaktäristisk för den moderna Strindbergsutgivningen. Praktiskt taget alla Strindbergseditioner efter Landquist bygger direkt eller indirekt på dennes upplaga och i många av dem har man normaliserat språket mer eller mindre kraftigt. I själva verket har Strindberg aldrig utgivits i en helt korrekt upplaga (med undantag för vissa enstaka verk). Detta sker först i den s.k. national-upplagan av hans *Samlade Verk* som sedan 1981 utges av Strindbergssällskapet i samarbete med statens kulturråd och Almqvist & Wiksell Förlag. Hittills (mars 1985) har 11 av planerade 73 delar (textvolymer) i *Samlade Verk* utkommit, bl.a. Strindbergs genombrottsroman *Röda rummet*, novellsamlingen *Giftas* som föranledde Giftasåtalet mot Strindberg, *Svenska öden och äventyr I* med några av Strindbergs och därmed den svenska litteraturens mest uppmärksammade historiska noveller, samhällssatiren *Det nya riket* och de världsberömda naturalistiska dramerna *Fadren/Fröken Julie/Fordringsägare.* De två första delarna i *Tjänstekvinnans son* utges antagligen 1986, de två senare delarna (*I Röda Rummet* och *Författaren*) förmodligen 1986 eller 1987. Utgivningen som är strikt vetenskaplig — de olika verken utges av ca 25 delredaktörer, i ledningen för projektet finns en redaktionskommitté — har gått långsammare än beräknat i början men kommer i fortsättningen att gå snabbare; målsättningen är f.n. att ge ut de resterande 62 delarna med en takt av ca 5 stycken om året.

Utgivningsprogrammet är omfattande. Förutom de ca 70 textvolymerna kommer nationalupplagan också att tillhandahålla ett tiotal kommentarvolymer i vilka den rent vetenskapliga kommentaren placeras och en stor svit av mikrokort där alla Strindbergs handskrifter är avfotograferade och där alla ord i hans texter förtecknas alfabetiskt i s.k. konkordanser. Det är fråga om den största satsning man någonsin gjort på en klassiker i Sverige; även internationellt sett är det en mycket omfattande utgivning. Genom att upplagan erhåller ekonomiskt stöd av staten kan priset på böckerna hållas nere; det ligger på samma nivå som priset på moderna romaner.

Nationalupplagan vänder sig både till en bred läsekrets och till litteraturforskare. Något förenklat kan man säga att upplagan har tre syften: för det första vill den ge ut Strindberg så fullständigt man kan; för det andra vill den ge ut hans verk så korrekt och definitivt som möjligt; för det tredje vill den ge ut Strindberg på ett sådant sätt att det blir lättare för läsarna att förstå vad han skriver än tidigare.

I motsats till sina föregångare upptar nationalupplagan i princip allt som Strindberg skrivit och som går att attribuera (författarbestämma) till honom; inte bara alla fullbordade verk, även alla ofullbordade skönlitterära verk och utkast kommer att tryckas i upplagan (breven, som håller på att utges i en speciell brevupplaga, lämnas dock utanför).

I alla tidigare Strindbergsupplagor från förstatrycken och framåt är hans texter mer eller mindre förvanskade eller 'korrumperade' genom läsfel, onödiga normaliseringar m.m.; dessa förvanskningar drabbar i allmänhet detaljer men genom att de är så många vanställer de texterna. Inte sällan är det fråga om 'korrumperingar' av mera uppenbart slag, censuringrepp, felaktiga textförlagor, dåliga översättningar etc. I nationalupplagan skall Strindbergs verk så långt det går befrias från alla förvanskningar. Texterna upprättas med hjälp av textkritiska principer som kommer att redovisas i del 1 av *Samlade Verk*. Till grund för texterna läggs Strindbergs originalmanuskript när dessa är bevarade. Flertalet manuskript är numera kända och kan användas av utgivarna; många av de upplagor som utgivits tidigare har inte kontrollerats mot manuskripten, vilket innebär att de är fulla av felaktigheter (Strindberg var en dålig korrekturläsare som släppte förbi mängder av tryckfel och onödiga normaliseringar i de upplagor han själv gav ut; hans egna ändringar i förstatrycken måste givetvis tillvaratas). Den censur som förläggarna ibland utsatte Strindberg för i förstatrycken accepteras inte i nationalupplagan. I denna accepterar man heller inte ändringar som Strindberg gjorde i nya upplagor av sina verk på långt tidsavstånd från författandet av dem; det är verket i dess första gestalt man vill återge så noggrant som möjligt. Gamla översättningar till svenska verk som Strindberg skrev på franska eller gamla återöversättningar av verk som endast förelegat i översättning till ett främmande språk (romanen *Inferno* m.fl.) revideras i *Samlade verk*. Strindbergs gammalstavning moderniseras i enlighet med nutida stavningsregler; i övrigt bibehåller man hans språk med alla dess egenheter (uppenbara språkfel som Strindberg skulle ha rättat om han sett dem korrigeras); det gäller även pluraländelsen *ne* i st. för *na* (alarne) och verb i pluralis (*vi gå*), former som normaliserats i föreliggande upplaga av *Tjänstekvinnans son.*

Tidigare större Strindbergsupplagor har varit försedda med knapphändiga kommentarer. Nationalupplagan är utrustad med fylliga presentationer av verkens tillkomst och mottagande och med utförliga ordförklaringar längst bak i varje volym. Särskilt ordlistorna är till stor hjälp för de läsare som vill förstå den fulla innebörden i det Strindberg skriver. De utarbetas i nära samarbete med en rad experter på olika områden — Strindberg rör sig hemvant med ord och termer från många olika områden; antagligen har han det största ordförrådet bland alla svenska författare.

Strindberg kan läsas med behållning i nästan vilken upplaga som helst. Vill man vara säker på att läsa Strindbergs egen text och vill man ha hjälp med att förstå vad han skriver är nationalupplagan överlägsen andra upplagor. Utgivarna hoppas att denna skall fungera som standardupplaga flera generationer framåt.

Lars Dahlbäck
Huvudredaktör för nationalupplagan

Om EN BOK FÖR ALLAs utgåva av Tjänstekvinnans son

August Strindberg har någon gång förklarat, att en författare bör eftersträva att så långt möjligt skriva som man talar.

Detta uttalande och det faktum att vårt språk undergått ganska stora förändringar sedan S. skrev sitt självbiografiska verk på 1880-talet utgör underlag för de språkliga modifikationer och ändringar som vidtagits i EN BOK FÖR ALLAs utgåva av *Tjänstekvinnans son.*

Vi har sålunda velat föra S. närmare nutida läsare av hans verk med varsamma språkliga ingrepp utan att våldföra oss på författarens karakteristiska stil och tonfall. Härvidlag är hans satsbyggnad av avgörande betydelse och denna har lämnats intakt.

Vilka förändringar i språket har vi då främst funnit anledning att uppmärksamma?

En del ord som på 1880-talet tillhörde vardagsspråket eller den vårdade prosan har numera en ålderdomlig klang, i flera fall har de fått en annan innebörd och valör än tidigare, ja ett och annat ord kan till och med vara helt främmande för de flesta nutida läsare. De finns helt enkelt inte kvar i vårt aktuella ordförråd och våra ordböcker längre. Det betyder att något enstaka ord fått utbytas och ett antal andra blivit ersatta med sina nu aktuella motsvarigheter.

216

Betydligt större ändringar i texten har vi fått vidtaga på grund av att stavningen ganska betydligt ändrats. I denna utgåva följer vi den nystavning som infördes 1906 och med små modifikationer tillämpas än i dag. Vårt rättesnöre härvidlag har varit Svenska Akademiens Ordlista 10:e upplagan. Det gäller också den numera vedertagna "försvenskade" stavningen av en del i boken förekommande lånord, som Strindberg skrev ungefär som på originalspråket.

En annan, senare men ganska genomgripande förändring som gäller skriftspråket är att verbens pluralformer numera alltmera sällan kommer till användning. Få skriver i våra dagar "vi hava", "vi äro", "vi gingo", "vi logo", "vi gräto", "vi summo" osv. Många läsare finner också dessa böjningsformer obekväma vid läsningen och synes ofta tycka, att dessa onekligen klingande och välljudande verbformer gör stilen högtidlig och ålderdomlig. Vi har därför konsekvent infört det nu förhärskande bruket för verbens böjning.

En del grundord som förekommer hos Strindberg framstår i dag som ålderdomliga. Här kan det ibland vara svårare att bestämma sig för om de ska bibehållas i sin ursprungliga form eller anpassas till den form som i dag ter sig naturligast för de flesta. Exempel på sådana ord är "huru" och "hurusom", som vi bestämt oss för att inte ändra på, medan "likasom" är exempel på ett ord som vi funnit lämpligt ersätta med sin nutida motsvarighet "liksom". Exempel på grundord som i sin ursprungliga form alldeles fallit ur språkbruket är "därföre" och "utföre", som vi följaktligen ändrat till dagens "därför", "utför". En del sammansatta ord har för oss främmande sammansättningsled. Så t.ex. köpekraft, läkarestudier, och vi har valt att ge dem det utseende vi numera är hemmastadda med.

Så förekommer också några former från latinet i ord som "Observatoriibacken" eller "gymnasiilinjen". Här har vi ersatt "ii"-bindningen med nu brukliga "ie".

Man träffar också på några ordformer i boken som kan förklaras av Strindbergs stockholmska ursprung. Hit hör "slädan", "en droppa", "havra". Dessa ordformer har vi bibehållit.

Det förekommer vidare några avvikande bruk av genus i boken. Så skriver Strindberg t.ex. "ett resumé" och "paradoxet". I dessa fall har vi övergått till nu gällande "en resumé" och "paradoxen". Däremot har vi behållit "stark blod", inte minst därför att "ond blod" fortfarande är en variant i bruk.

De numera främmande genusböjningarna i ord som "gossarne", "föräldrarne", eller i ord som "tidningarne", "de salige" m.fl. har vi konstant ändrat till dagens "-a".

Likaså har de starkt föråldrade böjningsmönstren för ord som "modren", "fadren", "fastren", "mostren" osv. ändrats till "modern", "fadern" osv.

Långformerna på verb, såsom "taga", "bliva", "sade" har vi någon gång tillåtit oss ta ner till "ta", "bli", "sa", när texten motiverar ett ledigare tonfall. Exempel på sådana kortformer återfinns f.ö. någon gång även i Landquists utgåva av boken från 1913, vilken tjänat som förlaga vid vår utgåva.

Negationerna är rätt talrikt förekommande i Tjänstekvinnans son och många läsare i dag kan härvidlag inte undgå att lägga märke till (och kanske störas) av den rikliga förekomsten av "icke", den negation som de flesta numera torde använda minst såväl i tal som

218

skrift. I Strindbergs text är den i starkt flertal gentemot "ej" eller "inte". Vid samtal eller replikskiften i boken är "inte" vanligast men "inte" förekommer också liksom "ej" ibland i beskrivande eller reflekterande löpande text.

Vi har föreställt oss att Strindberg i våra dagar skulle ha valt att i större utsträckning använda "inte" istället för de båda andra negationerna, och vi har sålunda ersatt "icke" med "inte" när texten har synts oss motivera ett ledigare tonfall.

Utöver de redigeringar av mer eller mindre genomgående karaktär som här redovisats, har enstaka ändringar och utbyten av ord skett. Dessa redovisas i efterföljande "Förteckning av övriga ändringar".

Det har varit en intressant och stimulerande uppgift att med denna utgåva av Tjänstekvinnans son söka överbrygga det språkliga avståndet mellan författaren Strindberg och nutidens läsare av hans verk. Under arbetets gång har det emellertid blivit allt mer uppenbart hur grannlaga en uppgift av denna art är och hur svårt det är att finna den rätta avvägningen mellan önskan att göra texten så tillgänglig att allt fler läsare kan känna sig hemmastadda i den och ambitionen att därvid inte våldföra sig på författarens särart och identitet, vare sig rent språkligt eller vad gäller gestaltningen av personer och händelser.

Sven-Arne Stahre

Övriga ändringar

Förteckning av övriga ändringar, vidtagna gentemot texten i av Bonniers Förlag utgivna Skrifter av August Strindberg, sjunde delen: Tjänstekvinnans son, En själs utvecklingshistoria. Denna utgåva kom första gången 1946 och har sedermera utkommit i nytryck 1952, 1954, 1962 och 1984. Texten i den utgåvan, för vilken Gunnar Brandell stod som redaktör, följer den hos Bonniers 1913 publicerade upplagan i August Strindbergs Samlade Skrifter, redigerad av John Landquist.

s 13 r 6 n	därför blev hon barnet kär (B s 11 r 2: därför blev hon kär)
s 14 r 8 n	lät (B s 11 r 27: lydde)
s 15 r 10 n	tog sig an honom (B s 12 r 7 n: tog honom an)
s 18 r 1 n	ändå (B s 14 r 7: ändock)
s 22 r 13 n	mindes (B s 16 r 16: erinrade)
s 24 r 12 n	är kallad till polisen (B s 17 r 21: i polisen)
s 24 r 15	i rännstenen (B s 17 r 21: i rännsten)
s 34 r 10	knappt (B s 23 r 8: trångt)
s 40 r 5	modern var stolt över... (B s 26 r 11 n.. stolt av..)
s 40 r 14 n	för en kort tid, för att sedan (B s 27 r 1-2: för en kort tid, att sedan..)
s 40 r 11 n	på bortersta bänken, för att hon (B s 27 r 3: på bortersta bänken, att hon..)
s 46 r 5 n	skafföttes (B s 30 r 14 n: skavfötters)
s 49 r 9 n	Dess oaktat (B s 32 r 20: Dessoaktat)
s 50 r 7 n	att han insåg att han gått (B s 33 r 3: att han insåg det han)
s 54 r 6 n	självtänkande (B s 35 r 9-10: självtänkning)
s 57 r 12 n	hade barnet inte hört talas om (B s 37 r 17 n: inte hört omtalas)
s 59 r 5 n	tittade föraktfullt på pedanten (B s 38 r 4 n: föraktligt)
s 69 r 2 n	Barnen kommenderas till kyrkan (B s 45 r 3: kommenderas i kyrkan)
s 71 r 3	utspelades (B s 45 r 12 n: agerades)
s 79 r 10 n	anställda infödda för de levande språken (B s 51 r 14: infödingar)
s 84 r 14	Pigorna hade fästmän (B s 54 r 10-11: fästmänner)
s 84 r 17	fästmännen (B s 54 r 13: fästmännerna)
s 91 r 10-11	stråkkvartett (B 58 r 11: violkvartett)
s 93 r 11-10 n	apparater, som fanns där (B s 59 r 18-17 n: apparater där funnos)
s 95 r 9 n	upprörde (B s 60 r 8-7 n: rörde upp)

s 99 r 14	på sistone (B s 63 r 21: på sistonet)
s 102 r 15	löpte (B s 65 r 12: lupo)
s 102 r 3 n	sekvestreras (B s 65 r 23 n: seqvestreras)
s 103 r 9	överhopas (B s 65 r 12 n: överlöpas)
s 106 r 7 n	hans själv (B s 71 r 8: hans själ)
s 121 r 2-1 n	lätt att umgås med (B s 76 r 21: lätt att umgås)
s 126 r 12	författare, som sökt inspiration med våld (B s 79 r 10: ...disposition)
s 126 r 9 n	självplågeriet (B s 79 r 20: självplågningen)
s 131 r 7 n	äcklade (B s 82 r 18: vidrade)
s 143 r 15	...illusioner.. varifrån kommer de (B s 89 r 14 n.. vadan)
s 162 r 7	kommer Fritz och berättar vid paradtimmen att Johan är bjuden på bal (B s 101 r 3-4:.. Fritz och vid paradtimmen berättar Johan att han är bjuden på bal)
s 169 r 2	hellre (B s 105 r 8: heldre, se även 106 r 4 n)
s 171 r 5 n	utom (B s 106 r 9 n: utan)
s 172 r 4 n	gemyt (B s 107 r 19: gemüth)
s 174 r 2-3	konungen och gardesofficerare var med som värdar (B s 108 r 6 n: närvoro som värdar)
s 177 r 15-16	sexuell sjukdom... endast följde umgänge med kvinnor (B s 110 r 9 n: följde samkväm med..)
s 178 r 8	korpral (B s 110 r 14 n: korporal)
s 181 r 12	folklig (B s 112 r 9 n: nedlåtande)
s 187 r 10	Johan svängde av i stora förstugan (B s 116 r 20: Johan gjorde en volt i...)
s 188 r 10 n	förelåg (B s 117 r 11: låg före)
s 201 r 6	hjälpverben (B s 124 r 3 n: hjälpverberna)
s 209 r 15 n	upplevelser (B s 130 r 1: upplevanden)

Verk av August Strindberg

(huvudsakligen efter utgivningsår)

Fritänkaren 1870

I Rom 1870

Den fredlöse 1871

Hermione 1871

En berättelse från Stockholms skärgård (ant. förf. 1872), tryckt postumt

Mäster Olof, prosauppl 1872, versuppl 1876,

Efterspelet 1877

Han och hon (brev 1875–76), tryckt postumt

Från Fjärdingen och Svartbäcken 1877

Röda rummet 1879

Gillets hemlighet 1880

Gamla Stockholm 1880–82

Det nya riket 1882

Herr Bengts hustru 1882

Lycko-Pers resa 1882

Svenska folket 1881–82

Svenska öden och äventyr 1882–91

Dikter på vers och prosa 1883

Sömngångarnätter 1884–1890

Kvarstadsresan 1885

Utopier i verkligheten 1885

Tjänstekvinnans son 1–4 1886–87 Författaren utkom först 1909

Fadern 1887

Hemsöborna 1887

En dåres försvarstal (skrevs 1887–88) tryckt på franska 1895

Blomstermålningar och djurstycken 1888

Den romantiske klockaren på

Rånö (Skärkarlsliv) 1888

Fordringsägare 1888

Fröken Julie 1888

Kamraterna 1888 (även i en tidigare version kallad Marodörer)

Skärkarlsliv 1888

Vivisektioner I (1888)

Bland franska bönder 1889

Paria 1889

Tschandala 1889

Den starkare 1890

I havsbandet 1890

Samum 1890

Himmelrikets nycklar 1892

Bandet 1893

Debet och kredit 1893

Första varningen 1893

Inför döden 1893

Leka med elden 1893

Moderskärlek 1893

Antibarbarus 1894

Vivisektioner II (skrevs 1894), tryckt postumt

Jardin des Plantes 1896

Sylva Sylvarum 1896

Ockulta dagboken (förd 1896–1908), tryckt postumt

Inferno 1897

Legender 1898

Silverträsket 1898

Advent 1899

Brott och brott 1899

Erik XIV 1899

Folkungasagan 1899

Gustav Vasa 1899

Litteraturfrämjandet

har vuxit fram ur och finansierats av Boklotteriet och är sedan 1965 en stiftelse. I den ingår Arbetarnas bildningsförbund (ABF), Kooperativa förbundet (KF), Landsorganisationen i Sverige (LO), Lantbrukarnas Riksförbund (LRF) — Studieförbundet Vuxenskolan (SV) och Tjänstemännens Centralorganisation (TCO) — Tjänstemännens Bildningsverksamhet (TBV).

Stiftelsen har till uppgift att öka intresset för svensk litteratur och konst och stöder författare och konstnärer genom priser och stipendier. I samarbete med folkrörelserna tas olika initiativ för att nå nya bokläsare på arbetsplatser och där människor möts på sin fritid.

Från 1976 utger Litteraturfrämjandet med anslag från staten **en bok för alla**/vuxenböcker, sedan 1980 även **en bok för alla**/barn och ungdomar.

Utvalda kvalitetsböcker till lågpris

Litteraturfrämjandets förlagsråd, respektive referensgrupp för utgivning av barn- och ungdomsböcker, svarar för urvalet till serien EN BOK FÖR ALLA. För att göra det här kvalitetsurvalet överkomligt för alla får serien statsbidrag, så att böckerna kan prissättas mycket lågt.

 *— den nya folkboken*